JUDITH KERR

QUANDO HITLER RUBÒ IL CONIGLIO ROSA

Postfazione di Antonio Faeti
Illustrazioni dell'autrice

Judith Kerr (Berlino, 1923) ha lasciato la Germania all'età di undici anni con la sua famiglia per rifugiarsi nel Regno Unito, dove vive tuttora. È scrittrice e sceneggiatrice. La storia narrata in *Quando Hitler rubò il coniglio rosa* è in parte autobiografica e ha un seguito, *La stagione delle bombe*.

Titolo originale: *When Hitler Stole Pink Rabbit*

Traduzione di Maria Buitoni Duca

© 1971 Judith Kerr

© 1976, 1981 RCS Libri S.p.A., Milano

© 1995 R.C.S. Libri & Grandi Opere S.p.A., Milano

© 1997 RCS Libri S.p.A., Milano
Decima edizione Bur ragazzi aprile 2013

ISBN 978-88-17-02946-9

Ai miei genitori, Julia e Alfred Kerr

Capitolo uno

Anna tornava da scuola e camminava verso casa con Elsbeth, una sua compagna di classe. Quell'inverno a Berlino era caduta un sacco di neve. Non si scioglieva e così gli spazzini l'avevano ammucchiata sul bordo della strada e lì era rimasta per settimane, triste e grigia. Adesso, in febbraio, la neve si era trasformata in fanghiglia e c'erano pozzanghere dappertutto. Anna ed Elsbeth le saltavano, con gli stivali ben allacciati ai piedi.

Indossavano tutte e due cappotti pesanti e berretti di lana per tenere calde le orecchie e Anna aveva anche una sciarpa. Aveva nove anni, ma era piccola per la sua età e le code della sciarpa le pendevano quasi fino alle ginocchia. La sciarpa le copriva anche la bocca e il naso, e così le si vedevano soltanto gli occhi che erano verdi e una ciocca di capelli neri. Camminava in fretta perché voleva comprare delle matite dal cartolaio ed era quasi l'ora di pranzo. Ma era senza fiato e fu contenta quando Elsbeth si fermò davanti a un grande manifesto rosso.

«Un'altra foto di quell'uomo» commentò Elsbeth. «La mia sorellina ne ha vista un'altra ieri e
credeva che fosse Charlie Chaplin.» Anna osservò
gli occhi che la fissavano minacciosi. «Non assomiglia per niente a Charlie Chaplin, se non per i
baffi» notò.

Lessero lentamente il nome sotto la foto.

Adolf Hitler.

«Vuole che tutti gli diano il voto alle elezioni e
poi arresterà tutti gli ebrei» aggiunse Elsbeth.
«Credi che arresterà Rachel Lowenstein?»

«Nessuno può arrestare Rachel Lowenstein» rispose Anna. «È capo squadra. Forse arresterà me. Anch'io sono ebrea.»

«Ma va'!»

«Sì, davvero! Mio padre ce lo diceva proprio la settimana scorsa. Ha detto che noi siamo ebrei e qualsiasi cosa succeda, non dobbiamo mai dimenticarlo.»

«Ma tu al sabato non vai in una chiesa speciale come Rachel Lowenstein.»

«Perché non siamo religiosi. Non andiamo per niente in chiesa.»

«Vorrei che neanche mio padre fosse religioso» sospirò Elsbeth. «Dobbiamo andarci tutte le domeniche e mi vengono i crampi al sedere.»

Gettò un'occhiata curiosa ad Anna. «Mi pareva che gli ebrei avessero tutti il naso con la gobba, ma il tuo non ce l'ha. E tuo fratello ce l'ha?»

«No» rispose Anna. «L'unica persona in casa nostra con una gobba sul naso è Bertha, la cameriera, ma se l'è fatta cadendo dal tram.»

Elsbeth si spazientì. «Be', se sei come tutti gli altri e non vai in una chiesa speciale, come fai a sapere che sei ebrea? Come fai a esserne sicura?»

Ci fu una pausa.

«Forse… forse perché mia madre e mio padre sono ebrei, e mi pare che anche i loro genitori fossero ebrei. Io non ci avevo mai pensato fino alla settimana scorsa, quando il babbo ha cominciato a parlarne.»

«Be', è una stupidaggine!» esclamò Elsbeth. «Tutta questa storia di Adolf Hitler, degli ebrei e il resto!» E si mise a correre, seguita da Anna.

Non si fermarono, finché non arrivarono dal cartolaio. Qualcuno stava parlando all'uomo dietro il bancone e Anna trasalì, riconoscendo la vecchia signorina Lambeck, che abitava nei dintorni. La signorina Lambeck aveva proprio una faccia da pesce morto, mentre diceva: «Ah, che tempi terribili!» e scuoteva la testa, agitando all'impazzata gli orecchini. Il cartolaio aggiunse: «Il 1931 è stato brutto, il 1932 ancor peggio, ma si ricordi quel che le dico, il 1933 sarà il peggiore di tutti.» Poi, vedendo Anna ed Elsbeth, domandò: «Cosa volete, piccole?»

Anna stava rispondendo che voleva delle matite, quando la signorina Lambeck la scorse.

«Ma è la piccola Anna!» gridò. «Come stai, carina? E come sta il tuo caro papà? Che uomo meraviglioso! Io leggo tutto quello che scrive. Ho tutti i suoi libri e l'ascolto sempre quando parla alla radio. Ma questa settimana non ha scritto niente sul giornale… Spero stia bene. Forse è via per qualche conferenza. Oh, abbiamo proprio bisogno di lui in questi tempi terribili, terribili!»

Anna aspettò che la signorina finisse e quindi rispose: «Ha l'influenza.»

La frase provocò una nuova esplosione. Pareva che qualche vicino parente della Lambeck fosse sul letto di morte. La donna scuoteva continuamente la testa, finché gli orecchini presero a tintinnare furiosamente. Suggeriva medicine, raccomandava dottori. Non si fermò finché Anna non le promise di portare al babbo i migliori auguri per una pronta guarigione da parte sua.

Anzi, sulla soglia si fermò e voltandosi aggiunse: «Cara piccola, non dire "dalla signorina Lambeck", di' soltanto "da un'ammiratrice"» e finalmente scomparve.

Anna comprò in fretta le matite. Uscì e si fermò al freddo con Elsbeth, davanti alla vetrina del cartolaio. Era qui che di solito si separavano, ma Elsbeth indugiava. Da tempo voleva chiedere qualcosa ad Anna, e questo pareva il momento buono.

«È bello, Anna, avere un padre famoso?»

«Non proprio, quando ti capita tra i piedi qualcuno tipo la Lambeck» rispose Anna distrattamente, incamminandosi verso casa, seguita da Elsbeth, anche lei assorta.

«Ma a parte la Lambeck?»

«Direi di sì. Intanto il babbo lavora a casa, e così lo vediamo spesso. E poi qualche volta abbiamo i biglietti del teatro in omaggio. E una volta un giornale ci ha intervistato, e ci hanno chiesto che libri ci piacevano, e mio fratello ha detto Zane Grey e il giorno dopo ci è arrivata tutta la collana di libri in regalo!»

«Vorrei che anche mio padre fosse famoso! Ma non ci riuscirà mai, perché lavora in un ufficio postale, e con questo tipo di lavoro uno non diventa mai famoso.»

«Se non riesce tuo padre, puoi diventare famosa tu. Vedi, il brutto di avere un padre famoso è che quasi mai diventi famoso tu stesso.»

«E perché no?»

«Non so. Ma difficilmente capita di sentire di due persone famose nella stessa famiglia. E questo a volte mi rende triste» sospirò Anna.

Intanto erano arrivate al cancello bianco della casa di Anna. Elsbeth era tutta agitata all'idea di potere un giorno diventare famosa, per chissà quale misterioso motivo, quand'ecco che Heimpi, avendole viste dalla finestra, aprì la porta d'ingresso.

«Accidenti, ho fatto tardi!» gridò Elsbeth e scappò via.

«Tu e quell'Elsbeth» brontolò Heimpi, mentre Anna entrava in casa, «voi due parlereste anche con la bocca cucita!»

Il vero nome di Heimpi era signorina Heimpel e aveva avuto cura di Anna e di suo fratello Max sin da quando erano piccoli. Adesso che erano grandi, sbrigava i lavori di casa mentre loro erano a scuola, ma le piaceva fare un po' di storie quando tornavano.

«Su, togliti quest'affare» diceva mentre le srotolava la sciarpa, «sembri un pacco con la corda sciolta.»

Mentre Heimpi la spogliava, Anna sentì suonare il piano in salotto. Allora la mamma era in casa!

«Sei sicura di avere i piedi asciutti?» chiese Heimpi. «Dai, svelta, vai a lavarti le mani. È quasi ora di andare a tavola.»

Anna salì le scale coperte da un folto tappeto. Il sole brillava attraverso i vetri e fuori in giardino c'era ancora qualche traccia di neve. Un buon odore di pollo veniva dalla cucina. Era bello tornare a casa da scuola.

Mentre apriva la porta del bagno, sentì dentro un tramestio e si trovò davanti Max, suo fratello, con la faccia addirittura scarlatta sotto i capelli biondi, che tentava di nascondere qualcosa dietro la schiena.

«Cosa c'è?» chiese lei, senza accorgersi di Gunther, l'amico di Max, anche lui evidentemente imbarazzato.

«Ah, sei tu!» esclamò Max e Gunther rise. «Credevamo fosse un grande!»

«Cos'avete lì?» chiese Anna.

«È un distintivo. Oggi a scuola c'è stata una grande battaglia… nazisti contro socialisti.»

«Cosa sono nazisti e socialisti?»

«Alla tua età credevo lo sapessi» disse Max, che aveva appena compiuto dodici anni. «I nazisti sono quelli che voteranno per Hitler alle elezioni. Noi socialisti siamo quelli che voteranno contro.»

«Ma nessuno di voi due potrà votare!» esclamò Anna. «Siete troppo piccoli!»

«Allora i nostri padri!» ribatté Max arrabbiato. «È la stessa cosa!»

«Comunque li batteremo» aggiunse Gunther. «Avessi visto come se la davano a gambe i nazisti! Io e Max ne abbiamo beccato uno e gli abbiamo preso il distintivo. Ma chissà cosa dirà mia madre dei calzoni.» E gettò una triste occhiata a un grosso strappo nella stoffa consumata. Il padre di Gunther era senza lavoro e a casa non c'erano soldi per comprare abiti nuovi.

«Non ti preoccupare, Heimpi l'aggiusterà» lo consolò Anna. «Mi fate vedere il distintivo?»

Era un pezzetto di latta smaltato di rosso con sopra una croce nera uncinata. «Si chiama svastica» spiegò Gunther. «Ce l'hanno tutti i nazi.»

«Cosa ne farete?»

Max e Gunther si scambiarono un'occhiata.

«La vuoi?» chiese Max.

Gunther scosse la testa. «A casa non vogliono che abbia niente a che fare con i nazi. Mia madre ha paura che mi spacchino la testa.»

«Non si battono lealmente» aggiunse Max. «Adoperano bastoni, pietre e cose del genere.» Rigirò il distintivo nella mano con aria sempre più disgustata. «Be', io non lo voglio di certo!»

«Buttalo giù nel cesso!» propose Gunther. Così fecero. Tirarono la catena una volta e il distintivo non andò giù, ma poi la seconda volta, proprio mentre suonava il gong per annunciare che il pranzo era in tavola, il distintivo finalmente scomparve alla vista. Mentre scendevano le scale, si sentivano le note del pianoforte, ma il suono cessò quando Heimpi cominciò a servire in tavola e un momento dopo la porta si spalancò ed entrò la mamma.

«Salve ragazzi, ciao Gunther, com'è andata la scuola?»

Si misero tutti a raccontare qualcosa e la stanza fu presto piena di rumore e risate. La mamma sapeva i nomi dei loro insegnanti e si ricordava sempre quello che le dicevano i ragazzi. Così quando Max e Gunther dissero che quello di geografia si era arrabbiato da matti, lei commentò: «Non c'è da meravigliarsi, con quello che gli avete combinato la settimana scorsa!» E quando Anna le disse che avevano letto forte in classe il suo tema, lei osservò: «Straordinario, perché la signorina Schmidt non li legge quasi mai, vero?»

Mentre ascoltava, guardava con la massima attenzione chiunque stesse parlando. E quando parlava, ci metteva tutta la sua energia. Pareva che facesse ogni cosa con maggiore forza degli altri... anche gli occhi erano dell'azzurro più intenso che Anna avesse mai visto.

Erano al dolce, lo strudel di mele, quando Bertha la cameriera venne ad avvertire la mamma che qualcuno al telefono chiedeva del babbo, era il caso di disturbarlo?

«Che ora scelgono per telefonare!» esclamò la mamma e spinse indietro la sedia con tanta veemenza che Heimpi dovette allungare la mano per evitare che cadesse per terra.

«Guai a voi se mangiate il mio strudel!» gridò mentre correva via. Quando fu uscita, tutto sembrò improvvisamente silenzioso, anche se Anna poteva sentire i suoi passi verso il telefono e poi, subito dopo, affrettarsi sulle scale, fin nella stanza del babbo.

Nel silenzio, Anna chiese: «Come sta il babbo?»

«Un po' meglio» disse Heimpi. «La febbre è scesa.» Anna mangiò tranquillamente il suo dolce. Max e Gunther ne divorarono tre porzioni ciascuno, e ancora la mamma non era tornata. Era strano, perché lo strudel le piaceva tanto.

Bertha venne a sparecchiare la tavola e Heimpi portò via i due ragazzi per dare un'occhiata ai calzoni di Gunther. «Non vale la pena rammendarli» decise «si spaccherebbero in due al primo sforzo. Max ne ha un paio ormai piccoli che a te andranno benissimo.»

Anna era rimasta sola in sala da pranzo e non sapeva che fare. Per un po' aiutò Bertha. Passarono i piatti sporchi in cucina attraverso il passavivande. Poi tolsero le briciole dalla tavola con la spazzola e la paletta. Mentre piegavano la tovaglia, si ricordò del messaggio della Lambeck. Aspettò che la tovaglia ripiegata fosse in mano a Bertha e corse verso la stanza del babbo. Sentì le voci dei genitori dentro. «Babbo, ho incontrato la signorina Lambeck…» cominciò, mentre apriva la porta ed entrava.

«Non adesso! Adesso no» gridò la mamma.
«Stiamo parlando!» Era seduta sull'orlo del letto e
il babbo, pallidissimo, aveva la testa appoggiata ai
guanciali. Avevano entrambi l'aria molto preoccupata.

«Ma babbo, mi ha detto di dirti…»

La mamma si arrabbiò.

«Per l'amor del cielo, Anna! Non vogliamo sentire questa storia adesso! Va' via!» gridò.

«Torna più tardi» aggiunse il babbo più gentilmente. Anna chiuse la porta. Era troppo! Non voleva affatto disturbare per lo sciocco messaggio
della Lambeck. Si sentiva a terra. Nella stanza dei
giochi non c'era nessuno. Da fuori giungevano le
grida di Max e Gunther, che probabilmente stavano giocando in giardino, ma non se la sentiva di
unirsi a loro. Dalla spalliera di una sedia penzola-
va la sua cartella. Aprì il pacchetto delle matite
nuove e le tolse dalla scatola. C'era un bel rosa e
anche l'arancione non era male, ma l'azzurro era
bellissimo. Ce n'erano tre sfumature diverse, tutte
luminose, e anche un rosso vivo. D'improvviso
Anna ebbe un'idea.

Ultimamente aveva scritto delle poesie illustra-
te che erano state molto apprezzate sia a scuola
che a casa. Una era sul fuoco, un'altra sul terre-
moto e un'altra raccontava di un uomo che moriva tra atroci tormenti dopo essere stato maledetto da un vagabondo. Perché non tentare un
naufragio? Molte parole facevano rima con "ma-

re", "onda" faceva rima con "sprofonda" e per l'illustrazione poteva usare i tre azzurri. Prese dei fogli e si mise al lavoro. Era talmente assorta, che non si accorse del crepuscolo invernale che aveva lentamente invaso la stanza, e sobbalzò quando Heimpi, entrando, accese la luce.

«Ho fatto dei dolci» l'avvertì Heimpi. «Mi dai una mano per la glassa?»

«Prima posso andare a far vedere questo al babbo?» chiese Anna, dando un ultimo tocco al mare. Heimpi acconsentì.

Questa volta Anna bussò alla porta e aspettò che il babbo dicesse «Avanti» prima di entrare. La stanza aveva un aspetto strano, perché era accesa soltanto la luce sul comodino e il babbo, nel letto, pareva un'oasi di luce in mezzo alle ombre. A malapena riusciva a scorgere la sua scrivania con la macchina da scrivere e la montagna di carte che, come al solito, erano straripate sul pavimento. Spesso il babbo scriveva di notte e per non disturbare la mamma dormiva nello studio.

Anna pensò che non aveva proprio l'aspetto di uno che si sente meglio. Era seduto sul letto senza far niente, gli occhi fissi davanti a sé e il viso magro appariva teso, ma quando la vide sorrise. Anna gli fece vedere la poesia e lui la lesse due volte e disse che andava molto bene e anche il disegno gli piaceva molto. Poi Anna gli raccontò della Lambeck e risero tutti e due. Adesso che assomigliava un po' più a quello di sempre, Anna gli chiese: «Ti piace davvero la poesia?» Il babbo rispose di sì.

«Non ti pare che dovrebbe essere un po' più allegra?»

«Be', un naufragio non è una cosa tanto divertente.»

«La mia maestra, la signorina Schmidt, dice che dovrei scegliere degli argomenti più allegri, come la primavera e i fiori.»

«E tu hai voglia di scrivere sulla primavera e sui fiori?»

«No» rispose Anna tristemente. «In questo momento mi ispirano soltanto le sciagure.»

Il babbo fece un mezzo sorriso e osservò che forse si accordava al momento attuale.

«Allora credi che vada bene descrivere le sciagure?» chiese ansiosamente Anna.

Il babbo si fece subito serio.

«Naturalmente! Se hai voglia di parlare di sciagure, devi farlo. Non serve a niente scrivere quello che vogliono gli altri. L'unico modo per scrivere qualcosa di buono è cercare di soddisfare noi stessi.»

Queste parole incoraggiarono Anna e stava per chiedere al babbo se per caso pensava che un giorno avrebbe potuto diventare famosa, ma lo squillo del telefono accanto al letto li fece sobbalzare. Lo sguardo teso riapparve sul viso del babbo mentre sollevava il ricevitore, ed era strano, pensò Anna, perché anche la sua voce pareva diversa. Sentì che rispondeva: «Sì... sì...» e nominava Praga. La conversazione fu breve.

«Adesso sarà meglio che tu vada» disse il babbo e sollevò le braccia, quasi volesse stringerla a sé. Ma poi le riabbassò e aggiunse: «Sarà meglio che non ti attacchi l'influenza.»

Anna andò a dare una mano ad Heimpi per glassare i dolci e quando furono pronti ne fece una scorpacciata con Max e Gunther: ne lasciarono tre, che Heimpi incartò per la mamma di Gunther. C'erano anche altri indumenti, ormai piccoli per Max, che andavano bene a Gunther e così questi se ne andò con un bel pacco.

Anna e Max passarono il resto della serata a giocare. Avevano ricevuto una scatola di giochi per Natale, e non avevano ancora visto tutte le meraviglie che c'erano dentro. La scatola conteneva la dama, gli scacchi, il ludo, il gioco dell'oca, il domino e sei diversi giochi di carte. Se ci si stancava di un gioco, si poteva farne un altro. Seduta con loro, nella stanza dei giochi c'era anche Heimpi, che rammendava le calze, e fece anche lei una partita a ludo. L'ora di andare a letto venne anche troppo presto.

Il giorno dopo, prima di andare a scuola, Anna corse in camera del babbo per salutarlo. La scrivania era in ordine. Il letto rifatto.

Il babbo era andato via.

Capitolo due

La prima cosa che venne in mente ad Anna fu così tremenda che le tolse il respiro. Il babbo durante la notte era peggiorato. L'avevano portato all'ospedale. Forse a quest'ora era già... Corse all'impazzata fuori dalla stanza e si imbatté in Heimpi, che la fermò al volo.

«Non è successo niente!» esclamò Heimpi. «Tuo padre è soltanto partito per un viaggio.»

«Un viaggio?» Anna non riusciva a capire. «Ma come, era malato... aveva la febbre...»

«Ha deciso di andare lo stesso» spiegò Heimpi con voce ferma. «Tua madre pensava di spiegarti tutto quando tornavi da scuola. Adesso mi pare che dovrà dirtelo subito, così la signorina Schmidt starà in classe a girarsi i pollici per colpa tua.»

«Cosa c'è? Non andiamo a scuola oggi?» Max apparve speranzoso sul pianerottolo. In quel momento la mamma uscì dalla sua stanza. Era ancora in vestaglia e appariva molto stanca.

«Calma, ragazzi, non c'è bisogno di agitarsi tanto» disse. «Devo parlarvi. C'è del caffè, Heimpi? I ragazzi potrebbero fare un po' di colazione prima di andare a scuola.»

Quando furono seduti in cucina con Heimpi, davanti a caffè e panini, Anna si sentì sollevata e fu persino in grado di calcolare che avrebbe perso geografia, che non le piaceva per niente.

«È molto semplice» cominciò la mamma. «Il babbo pensa che Hitler e i nazisti potrebbero vincere le elezioni. Se così fosse, non vorrebbe stare in Germania mentre sono loro al potere, e nessuno di noi lo vorrebbe.»

«Perché siamo ebrei?» chiese Anna.

«Non soltanto perché siamo ebrei. Il babbo ritiene che nessuno sarebbe più libero di dire quello che pensa, e lui non potrebbe più scrivere. Ai

nazisti non piacciono quelli che la pensano in modo diverso da loro.»

La mamma bevve dell'altro caffè e apparve più distesa. «Naturalmente, può darsi che non succeda niente di tutto questo e anche se fosse non durerebbe molto... forse sei mesi o giù di lì. Ma per ora non lo sappiamo.»

«Ma perché il babbo se ne è andato così all'improvviso?» chiese Max.

«Perché ieri qualcuno gli ha telefonato e l'ha avvertito che potrebbero ritirargli il passaporto. Così gli ho preparato una valigetta e ha preso il treno della notte per Praga... è il modo più rapido per uscire dalla Germania.»

«Chi potrebbe ritirargli il passaporto?»

«La polizia. Ci sono parecchi nazisti nella polizia.»

«E chi gli ha telefonato per avvertirlo?»

Per la prima volta la mamma sorrise.

«Un altro poliziotto. Uno che il babbo non conosce ma che ha letto e apprezzato i suoi libri.»

Ci volle un po' prima che Anna e Max riuscissero ad afferrare tutto. Poi Max chiese: «E adesso cosa succederà?»

«Be', mancano soltanto dieci giorni alle elezioni. I casi sono due: o i nazisti perdono, nel qual caso il babbo ritorna, oppure vincono e allora noi lo raggiungiamo.»

«A Praga?» chiese Max.

«No, probabilmente in Svizzera. Là parlano tedesco... il babbo potrebbe scrivere. Potremmo affittare una casetta e stare là finché non sarà tutto finito.»

«Anche Heimpi?» chiese Anna.

«Anche Heimpi.»

Era divertente. Anna già se lo immaginava... una casa in montagna... le capre... o erano mucche? Quand'ecco che la mamma aggiunse: «C'è un'altra cosa.» La sua voce si era fatta molto seria.

«È la cosa più importante e abbiamo bisogno del vostro aiuto. Il babbo non vuole assolutamente che si sappia che ha lasciato la Germania. Quindi non dovete dirlo a nessuno. Se qualcuno vi chiede di lui, dite che è ancora a letto con l'influenza.»

«Neanche a Gunther?» chiese Max.

«No, neanche a Elsbeth, a nessuno.»

«Va bene» rispose Max. «Ma non sarà facile. La gente chiede sempre sue notizie.»

«Perché non possiamo dirlo a nessuno?» chiese Anna. «Perché il babbo non vuole che nessuno lo sappia?»

«Sentite, ho cercato di spiegarvelo meglio che ho potuto. Ma siete ancora bambini, non potete capire tutto. Il babbo pensa che i nazisti potrebbero... darci qualche fastidio, se sapessero che è partito. Per questo non vuole che ne parliate. Allora, farete quello che vi chiedo, sì o no?» Anna rispose di sì, che l'avrebbe fatto senz'altro. Heimpi li spedì a scuola in tutta fretta. Anna era preoccupata, non sapeva cosa rispondere se le chiedevano perché era in ritardo. «Di' che la mamma si è svegliata tardi... che poi è la verità» le suggerì Max.

Ma nessuno le chiese niente. Nell'ora di ginnastica fecero il salto in alto e Anna saltò più di tutti. Era così contenta che per il resto della mattinata non le venne neppure in mente che il babbo era a Praga.

Quando fu l'ora di tornare a casa, si ricordò d'improvviso ogni cosa e sperò che Elsbeth non le facesse domande strane... ma la mente di Elsbeth era altrove, impegnata in cose più importanti. Sua zia sarebbe venuta quel pomeriggio per accompagnarla a comprare uno yo-yo. Anna che tipo le consigliava e di che colore? Quelli di legno funzionavano meglio, ma Elsbeth ne aveva visto uno arancione, che era, sì, di latta, ma era così bello che le piaceva proprio. Anna doveva soltanto dire "Sì" o "No" e quando arrivò a casa, trovò che quella giornata era come le altre, ben diversa da come era cominciata.

Né lei né Max avevano compiti da fare ed era troppo freddo per uscire, così il pomeriggio si sedettero sul calorifero nella stanza dei giochi e stettero a guardare fuori dalla finestra. Il vento scuoteva le persiane e smuoveva nel cielo grossi strati di nuvole.

«Potrebbe nevicare ancora» osservò Max.

«Max, ti piacerebbe andare in Svizzera?» chiese Anna.

«Non so» rispose Max. Gli sarebbero mancate molte cose. Gunther... la banda con cui giocava a calcio... la scuola... «Ci toccherebbe andare in una scuola in Svizzera» aggiunse.

«Certo, chissà che bello!» esclamò Anna. Quasi si vergognava ad ammetterlo, ma più ci pensava e più l'idea di partire le piaceva. Essere in un paese straniero, dove tutto sarebbe stato diverso, vivere in una casa diversa, andare in una scuola diversa con compagni diversi... Provò un gran desiderio di fare quell'esperienza e benché si rendesse conto che era un pensiero egoista, non poté fare a meno di sorridere.

«Sarà soltanto per sei mesi» si scusò «e inoltre saremo tutti insieme.»

Passarono alcuni giorni, in modo quasi normale. La mamma ricevette una lettera dal babbo. Alloggiava in un albergo a Praga, stava molto meglio. La notizia rallegrò tutti.

Qualcuno domandò di lui, ma si accontentò di sapere dai ragazzi che aveva l'influenza. Non c'era da meravigliarsi, ce n'era tanta in giro. Faceva molto freddo e le pozzanghere che la neve, sciogliendosi, aveva formato erano di nuovo gelate... ma non si decideva a nevicare.

Finalmente la domenica pomeriggio, prima delle elezioni, il cielo diventò quasi nero e poi improvvisamente si aprì per rovesciare una massa bianca fluttuante, che scendeva turbinando. Anna e Max stavano giocando dai ragazzi Kentner, che abitavano di fronte. Stettero a guardare la neve che cadeva.

«Se almeno avesse cominciato un po' prima!» osservò Max. «Quando diventerà alta abbastanza per andare in toboga, sarà buio.»

Smise di nevicare verso le cinque, proprio quando Max e Anna stavano per tornare a casa. Peter e Marianne Kentner li accompagnarono alla porta.

La strada era ricoperta di un alto strato di neve, asciutta e farinosa, e la luna la faceva scintillare.

«Perché non andiamo in toboga al chiaro di luna?» propose Peter.

«Dici che ci lasciano?»

«Ci siamo andati altre volte» disse Peter, che aveva quattordici anni. «Andate a chiederlo a vostra madre.»

La mamma disse di sì, purché stessero tutti insieme e tornassero a casa alle sette. Si coprirono bene e via! Ci voleva soltanto un quarto d'ora per arrivare a Grunewald, dove c'era un pendio boscoso e si poteva scivolare giù fino al lago ghiacciato. Erano già andati là in toboga molte altre volte prima, ma sempre di giorno e tra le grida di altri ragazzi. Adesso si sentiva il vento sussurrare tra gli alberi, la neve fresca che scricchiolava sotto i loro passi e il fruscio leggero delle slitte, mentre scendevano. Sopra di loro, il cielo era scuro ma tutto intorno, al chiaro di luna, la terra splendeva di un azzurro meraviglioso interrotto soltanto dagli alberi, che proiettavano in fuori le loro ombre, come strisce nere.

In cima al pendio, si fermarono a guardare giù. Nessuno ci aveva ancora messo piede. La distesa scintillante di neve giaceva davanti a loro, perfettamente intatta, fino al bordo del lago.

«Chi va giù per primo?» chiese Max.

Senza volerlo, Anna si sorprese a saltellare, dicendo: «Per piacere… per piacere…»

«D'accordo: prima i più piccoli» decise Peter.

Toccava a lei, perché Marianne aveva dieci anni. Si sedette sulla slitta, si attaccò alla corda, respirò profondamente e spinse. La slitta cominciò a muoversi, piano, giù per il pendio.

«Dai! Spingi ancora!» gridavano dietro di lei i ragazzi.

Preferì di no. Tenne i piedi sui pattini e lasciò che la slitta prendesse velocità a poco a poco. La neve farinosa si sollevava tutt'intorno, via via che la slitta la solcava. Gli alberi si allontanavano, prima lentamente e poi sempre più in fretta. Intorno a lei danzava il chiaro di luna.

Infine sembrava che volasse attraverso una massa argentea, finché la slitta sobbalzò contro una montagnetta in fondo al pendio, ci volò sopra e atterrò in una chiazza di luna sul lago ghiacciato. Era bello. Dopo di lei scesero gli altri, strillando e urlando. Prima scesero il pendio sdraiati con la pancia in giù, così la neve schizzava loro sulla faccia. Poi scesero sdraiati sulla schiena e le cime scure degli alberi si rincorrevano veloci sopra le loro teste. Poi si ammassarono tutti su una slitta e sfrecciarono giù, così rapidamente che quasi balzarono in mezzo al lago. Dopo ogni corsa, risalivano affannosamente il pendio fino in cima, trascinandosi dietro, ansando, le slitte.

Malgrado il freddo, fumavano di sudore sotto i vestiti pesanti. A un tratto cominciò di nuovo a nevicare. Dapprima quasi non se ne accorsero, ma poi si levò il vento, che soffiò loro in faccia la neve. Di colpo Max si fermò, mentre stava trascinando la slitta in salita e domandò: «Che ore sono? Non vi pare che dovremmo tornare?»

Nessuno aveva un orologio e si accorsero di non avere idea di quanto tempo era passato da quando erano lì. Forse era tardissimo e a casa li aspettavano chissà da quando.

«Andiamo!» gridò Peter. «Su, in fretta!» Si tolse i guanti e li batté insieme per scrollar via la neve. Aveva le mani viola dal freddo. Anche Anna, che si rese conto soltanto allora di avere i piedi gelati.

Al ritorno faceva un gran freddo. Il vento penetrava nei vestiti bagnati; la luna era nascosta dalle nubi e il sentiero era avvolto nel buio. Anna fu contenta quando, usciti dal bosco, si trovarono sulla strada. Le luci dei lampioni, le finestre delle case illuminate, i negozi. Erano quasi arrivati a casa.

Il quadrante illuminato di un orologio indicò le ore. Non erano ancora le sette. Tirarono un respiro di sollievo e rallentarono il passo. Max e Peter cominciarono a parlare di calcio. Marianne legò due slitte insieme e si mise a correre all'impazzata nella strada deserta, lasciando dietro di sé nella neve un intricato disegno di tracce sovrapposte. Anna era rimasta indietro perché le facevano male i piedi.

I ragazzi intanto si erano fermati davanti a casa e chiacchieravano mentre l'aspettavano. Lei li stava raggiungendo, quand'ecco che sentì cigolare un cancello. Qualcuno si muoveva nel viottolo accanto a lei e improvvisamente apparve una figura indefinita. Per un attimo fu terrorizzata ma poi riconobbe la signorina Lambeck, avvolta in un mantello di pelo, con una lettera in mano.

«La piccola Anna!» strillò la Lambeck. «Pensa, incontrarti al buio, di notte! Stavo andando a impostare una lettera, ma non immaginavo di incontrare anima viva. Come sta il babbo?»

«Ha l'influenza» rispose meccanicamente Anna.

La signorina Lambeck si fermò. «Ma come, piccina, ancora l'influenza? Mi hai detto che l'aveva una settimana fa.»

«Ce l'ha ancora.»

«È sempre a letto? Ha la febbre?»

«Sì.»

«Oh, poveretto!» La signorina Lambeck posò una mano sulla spalla di Anna. «E lo curano? Il dottore viene a visitarlo?»

«Sì.»

«E cosa dice il dottore?»

«Dice… Non lo so!»

La signorina Lambeck si curvò su Anna e la guardò fissa in faccia.

«Dimmi, caruccia, quanta febbre ha il babbo?»

«Non lo so!» gridò Anna e la voce le uscì, suo malgrado, stridula. «Mi dispiace ma adesso devo andare a casa!» e corse più in fretta che poté verso Max e il portone, aperto per accoglierla.

«Cos'è successo?» chiese Heimpi nell'ingresso. «Entri in casa come un fulmine.»

Dalla porta socchiusa Anna vide la mamma in salotto.

«Mamma!» urlò. «Non voglio dire bugie quando mi chiedono del babbo. È terribile! Perché dobbiamo farlo? Non voglio!»

Si accorse che la mamma non era sola. Lo zio Julius (che non era proprio uno zio, ma un vecchio amico del babbo) era seduto in una poltrona, dall'altra parte della stanza.

«Calmati!» la interruppe duramente la mamma. «A tutti noi dispiace dire bugie, ma in questo caso è necessario, altrimenti non te l'avrei chiesto.»

«È caduta nelle grinfie della Lambeck» intervenne Max, che era dietro ad Anna. «Sai che tipo è quella, no? Fa schifo. Si fa fatica a risponderle, anche quando puoi dire la verità!»

«Povera Anna!» commentò lo zio Julius con la sua voce limpida. Era un uomo fragile e gentile e tutti gli volevano bene. «Vostro padre sente molto la vostra mancanza e vi manda baci e abbracci.»

«Ma allora l'hai visto?» chiese Anna.

«Lo zio Julius è appena tornato da Praga» spiegò la mamma. «Il babbo sta bene e vuole che lo raggiungiamo a Zurigo, in Svizzera, domenica prossima.»

«Domenica?» si meravigliò Max. «Ma c'è soltanto una settimana. È il giorno delle elezioni. Non aspettiamo di vedere chi vince, prima?»

«Tuo padre ha deciso di non aspettare» e lo zio Julius sorrise alla mamma. «Mi sembra che la prenda troppo seriamente.»

«Perché?» chiese Max. «Di che cosa si preoccupa?»

La mamma sospirò. «Da quando il babbo ha saputo che volevano ritirargli il passaporto, ha paura che ritirino il nostro… così non potremmo più lasciare la Germania.»

«Ma perché» chiese Max. «Se i nazi non ci vogliono saranno contentissimi se ce ne andiamo.»

«Giustissimo» approvò lo zio Julius e si volse di nuovo sorridendo alla mamma. «Tuo marito è un uomo straordinario con una fantasia straordinaria, ma sinceramente in questo caso ha perso la testa. Non importa, vi godrete tutti una bellissima vacanza in Svizzera e quando tornerete a Berlino, fra qualche settimana, andremo insieme allo zoo.»

Lo zio Julius era appassionato di scienze naturali e passava molto tempo allo zoo. «Fammi sapere se posso aiutarti nei preparativi. Naturalmente ci vediamo ancora.» Si chinò a baciare la mano della mamma e uscì.

«Ma partiamo davvero domenica?» chiese Anna.

«Sabato» corresse la mamma. «Il viaggio per la Svizzera è lungo. Dobbiamo passare una notte a Stoccarda.»

«Allora questa è l'ultima settimana di scuola!» disse Max.

Sembrava incredibile.

Capitolo tre

In seguito tutto si svolse rapidamente, come in un film a passo veloce. Heimpi era indaffarata tutto il giorno a fare bagagli. La mamma era quasi sempre fuori o al telefono, per cercare di affittare la casa o mettere in magazzino il mobilio, una volta che fossero partiti. Ogni giorno, tornando da scuola, i bambini trovavano la casa più vuota.

Un giorno arrivò lo zio Julius, mentre aiutavano la mamma a imballare i libri, e diede un'occhiata, sorridendo, agli scaffali vuoti.

«Presto rimetterete tutto dov'era, vedrete!»

Quella notte i ragazzi furono svegliati dall'urlo delle sirene dei pompieri. Circa una dozzina di carri antincendio passarono, sfrecciando, lungo la strada principale, in fondo alla loro via. Guardarono fuori della finestra e videro il cielo sopra il centro di Berlino completamente illuminato da un bagliore arancione. La mattina dopo, tutti parlavano del fuoco che aveva distrutto il Reichstag, sede del Parlamento tedesco. I nazisti dicevano che l'avevano appiccato i rivoluzionari e che i nazisti erano gli unici che potevano porre fine a quello stato di cose... e quindi tutti dovevano votare per loro alle elezioni.

Ma la mamma aveva saputo che erano stati gli stessi nazisti a provocare l'incendio.

Quando lo zio Julius venne, quel pomeriggio, per la prima volta non disse alla mamma che sarebbe tornato a Berlino poche settimane dopo.

Gli ultimi giorni che Anna e Max trascorsero a scuola furono molto strani. Poiché non dovevano dire a nessuno che partivano, finiva che loro stessi, durante le ore di scuola, non ci pensavano più. Anna fu contentissima quando le toccò una parte nella recita e soltanto dopo le venne in mente che non poteva parteciparvi. Max accettò un invito per una festa di compleanno alla quale non sarebbe mai andato.

Tornavano poi nelle loro stanze sempre più vuote, tra le casse d'imballo, le valigie, e la scelta continua delle cose da portare via. La parte più difficile era decidere quali giocattoli prendere. Naturalmente, avrebbero tanto desiderato la scatola dei giochi, ma era troppo grande. Alla fine, c'era posto soltanto per qualche libro e un animale di pezza di Anna. Doveva scegliere il Coniglio Rosa, che era stato suo compagno da sempre, oppure il cane di pezza nuovo? Alla fine decise che era un peccato lasciare il cane, col quale non aveva ancora potuto giocare, così Heimpi lo mise in valigia; e Max prese con sé il pallone. Potevano sempre farsi spedire altre cose in Svizzera, diceva la mamma, se avessero dovuto trattenersi più a lungo.

Il venerdì, a scuola, Anna andò dall'insegnante e le disse con calma: «Domani non vengo. Andiamo in Svizzera.»

La signorina Schmidt non parve meravigliata, come si aspettava Anna, fece solo un cenno col capo e disse: «Va bene... ti auguro buona fortuna.»

Anche Elsbeth non si mostrò molto interessata. Disse soltanto che le sarebbe piaciuto andare in Svizzera, ma difficilmente poteva capitarle, perché suo padre lavorava all'ufficio delle poste.

La persona più difficile da lasciare era Gunther. Max lo invitò a mangiare quando tornarono da scuola insieme, per l'ultima volta, anche se c'erano soltanto panini imbottiti, perché Heimpi non aveva avuto il tempo di cucinare. Poi giocarono a nascondino fra le casse imballate, ma non era un gran divertimento, perché Gunther e Max erano giù di corda, mentre Anna riusciva a malapena a trattenere il suo entusiasmo. Voleva molto bene a Gunther e le dispiaceva lasciarlo, ma non faceva che pensare: "Domani a quest'ora saremo in treno... domenica a quest'ora saremo in Svizzera... a quest'ora lunedì..."

Infine Gunther andò a casa. Nel fare i bagagli, Heimpi aveva messo da parte un sacco di indumenti per sua madre, e Max lo accompagnò per aiutarlo. Quando tornò, aveva un'aria più allegra. Prima era preoccupato per l'addio a Gunther. Adesso, in qualche modo, era fatta.

La mattina seguente Anna e Max erano pronti molto prima dell'ora di partenza. Heimpi controllò che avessero le unghie pulite, i fazzoletti in tasca – ad Anna ne occorrevano due, perché era un po' raffreddata – e le calze in ordine.

«Chissà come diavolo vi concerete da soli!» brontolava.

«Ma tu ci raggiungerai fra una quindicina di giorni» disse Anna.

«Molte cose possono succedere in quindici

giorni» rispose Heimpi in tono sibillino. Non restava altro da fare finché arrivava il taxi.

«Facciamo il giro della casa per l'ultima volta» propose Max.

Cominciarono dall'alto, per poi scendere giù. Niente sembrava più come prima. Le cose più piccole erano state imballate. Alcuni tappeti erano arrotolati, e dappertutto c'erano giornali e casse. Via via che passavano da una stanza, la salutavano gridando: «Addio studio del babbo... addio pianerottolo... addio scale...!»

«State calmi!» raccomandò la mamma, passando loro vicino.

«Addio ingresso... addio salotto...!»

Correvano velocemente da una stanza all'altra e Max gridava: «Addio piano... addio divano...!» e Anna continuava: «Addio tende... addio tavola da pranzo... addio passavivande!»

Mentre gridava "Addio passavivande" questo si aprì e apparve la testa di Heimpi dalla dispensa. Anna provò una contrazione allo stomaco. Heimpi lo faceva spesso, quando lei era piccola, per farla divertire. Giocavano a "fare cucù dalla porticina" e ad Anna piaceva moltissimo.

Come poteva andarsene tutto a un tratto? Senza volerlo, le si riempirono gli occhi di lacrime e scoppiò stupidamente in singhiozzi: «Oh, Heimpi, non voglio lasciarti e neanche la porticina!»

«Be', non posso metterla in valigia» disse Heimpi, entrando in sala.

«Ma verrai davvero in Svizzera?»

«Non mi resta nient'altro da fare» rispose Heimpi. «Tua madre mi ha già preso il biglietto e ce l'ho in borsetta.»

«Senti, Heimpi, se hai un po' di posto nella valigia, quando vieni, ti dispiace portarmi la scatola dei giochi?» pregò Max.

«Se... se... se mia nonna avesse avuto le ruote, sarebbe stata un autobus e tutti ci avremmo fatto un bel giro sopra.» Diceva sempre così.

Suonò il campanello alla porta: era arrivato il taxi, bisognava andare. Anna abbracciò Heimpi. La mamma raccomandò: «Non dimenticare che lunedì verranno a prendere il piano» e anche lei abbracciò Heimpi. Max non riusciva a trovare i guanti e poi si accorse che li aveva in tasca. Bertha piangeva, e il giardiniere comparve improvvisamente per augurare buon viaggio.

Proprio mentre il taxi stava per partire, arrivò una figuretta, correndo, con qualcosa in mano. Era Gunther. Diede a Max un pacchetto dal finestrino e disse qualcosa di sua mamma che non capirono perché il taxi era già in moto. Max gridò arrivederci e Gunther agitò la mano. Il taxi andava e Anna riusciva ancora a vedere la casa, Heimpi e Gunther che salutavano... Ecco, scorgeva ancora un pezzetto di casa... In fondo alla strada passarono vicino ai ragazzi Kentner che andavano a scuola. Stavano parlando tra loro e non voltarono la testa... Intravedeva ancora un pezzetto della casa fra gli alberi… Poi il taxi girò l'angolo e tutto scomparve.

Era strano viaggiare in treno con la mamma e senza Heimpi. Anna aveva paura di sentirsi male. Quando era piccola, stava sempre male in treno e anche adesso che le era più o meno passato, Heimpi portava sempre un sacchetto, in caso ce ne fosse bisogno. Chissà se la mamma ce l'aveva? Il treno era affollato, ma Anna e Max erano contenti, perché erano seduti vicino al finestrino. Guardarono fuori il paesaggio grigio che si allontanava in fretta, finché cominciò a piovere. Stettero a osservare le gocce che battevano contro il vetro, e scivolavano poi lentamente, giù nella fessura del finestrino, ma dopo un po' si annoiarono. Che fare? Anna guardò di sottecchi la madre. Di solito Heimpi portava con sé qualche mela o caramella.

La mamma sedeva appoggiata allo schienale. Aveva una piega agli angoli della bocca e fissava, senza vederla, la testa calva di un signore seduto davanti a lei. Posata sulle ginocchia, c'era la sua borsetta, quella grande col cammello sopra, che aveva riportato da un viaggio col babbo. La teneva stretta, forse, pensava Anna, perché c'erano dentro i biglietti e i passaporti. Ma la stringeva tanto che un dito stava scavando la faccia del cammello.

«Mamma, stai strizzando il cammello!»

«Cosa?» sobbalzò la mamma, poi capì cosa voleva dire Anna e allentò la stretta. La faccia del cammello riapparve, con sollievo di Anna, e aveva la buffa espressione di sempre.

«Vi annoiate?» chiese la mamma. «Attraverseremo tutta la Germania e per voi sarà la prima volta. Speriamo che smetta di piovere, così potrete vederla.»

Raccontò loro dei frutteti, che si estendevano per chilometri e chilometri nella Germania meridionale. «Se la stagione fosse più avanzata, avreste visto gli alberi in fiore» disse.

«Forse qualcuno sarà già fiorito» osservò Anna.

Ma la mamma rispose che era troppo presto e anche l'uomo calvo fu d'accordo.

Poi dissero che era uno spettacolo magnifico e Anna avrebbe voluto vederlo.

«Se non sono ancora fioriti, li vedremo un'altra volta, no?» chiese. La mamma non rispose subito, poi disse: «Speriamo.»

La pioggia non cessò e passarono un sacco di tempo a giocare a indovinello: si scoprì che la mamma era bravissima. Non si riusciva a vedere il paesaggio ma si sentiva, dalle voci della gente che saliva nelle varie stazioni, che l'accento cambiava.

Qualcuno era incomprensibile e a Max veniva voglia di fare delle domande banali, per esempio: "Siamo a Lipsia?" oppure: "Che ore sono?" per il gusto di sentir parlare con quegli strani accenti.

Mangiarono nel vagone ristorante. Era bellissimo poter scegliere dalla lista e Anna ordinò salsiccia e patate, il suo piatto preferito, e non si sentì affatto male.

Tardi nel pomeriggio, i due ragazzi camminarono sul treno da cima a fondo e poi si fermarono nel corridoio. Pioveva più che mai e presto si fece buio. Anche se gli alberi erano fioriti, non li avrebbero visti.

Si divertirono per un po' a guardare il buio che correva attraverso le loro immagini riflesse sul vetro. Poi ad Anna cominciò a far male la testa e a colare il naso con lo stesso ritmo della pioggia. Tornò a raggomitolarsi al suo posto e avrebbe voluto essere già arrivata a Stoccarda.

«Perché non guardi il libro di Gunther?» suggerì la mamma.

C'erano due regali nel pacco di Gunther. Uno, quello di Gunther per Max, era un gioco: una scatolina trasparente con disegnata sul fondo la bocca aperta di un mostro. Si dovevano fare entrare tre palline nella bocca. Era difficile farlo in treno.

L'altro era un libro che la mamma di Gunther mandava a tutti e due. Era intitolato *Crebbero per essere grandi* e lei vi aveva scritto: "Grazie di tutto e buona lettura." Descriveva la vita di alcuni personaggi divenuti poi famosi e Anna, che era particolarmente interessata all'argomento, s'immerse avidamente nella lettura. Ma il libro era così monotono e pesante che a poco a poco lo lasciò andare. Tutte le persone famose dapprima se l'erano passata malissimo. Uno aveva un padre ubriaco. Un altro era balbuziente. Un altro aveva dovuto lavare centinaia di bottiglie sporche. Avevano tutti avuto un'infanzia difficile. Certo bisognava averla così per diventare famosi.

Mentre sonnecchiava e si asciugava il naso con i due fazzoletti ormai fradici, Anna si augurava di arrivare presto a Stoccarda e di diventare, un giorno, famosa. Ma mentre il treno rotolava attraverso la Germania, nel buio della notte, Anna si ripeteva: "Infanzia difficile... infanzia difficile... infanzia difficile..."

Capitolo quattro

Improvvisamente qualcuno la scosse gentilmente. Doveva essersi addormentata. La mamma disse: «Tra qualche minuto saremo a Stoccarda.»

Anna, ancora assonnata, s'infilò il cappotto e dopo poco era seduta con Max sulle valigie, davanti alla stazione di Stoccarda, mentre la mamma cercava un taxi. La pioggia continuava a scendere a dirotto, battendo sul tetto della stazione, e cadeva come una tenda lucida tra loro e la piazza antistante. Faceva freddo. Finalmente la mamma tornò.

«Che razza di posto» gridò. «C'è una specie di sciopero... qualcosa per via delle elezioni... non c'è neanche un taxi. Ma vedete quell'insegna azzurra là davanti?» Dall'altra parte della piazza c'era un barlume di luce bluastra, che s'intravedeva appena nella pioggia. «Quello è un albergo» spiegò la mamma. «Prendiamo lo stretto necessario per stanotte e facciamo una corsa là.»

Lasciarono le valigie al deposito bagagli e attraversarono la piazza, scarsamente illuminata.

Anna aveva in mano una valigetta dura che continuava a batterle sulla gamba e la pioggia cadeva così forte che a malapena riusciva a vedere dove camminava. Scivolò in una pozzanghera e si bagnò tutti i piedi. Ma alla fine arrivarono all'asciutto, la mamma prenotò le camere e lei e Max mangiarono qualcosa. Anna era sfinita: andò a letto e si addormentò.

La mattina dopo si alzarono che era ancora buio. «Rivedremo presto il babbo» disse Anna, mentre facevano colazione nella stanza da pranzo, avvolta nella penombra. A quell'ora non c'era nessuno in piedi e il cameriere, mezzo assonnato, sbatté rabbiosamente sulla loro tavola panini raffermi e caffè.

La mamma aspettò che andasse in cucina, poi disse ai ragazzi: «Prima di arrivare a Zurigo dal babbo, dobbiamo attraversare la frontiera Germania-Svizzera.»

«Dobbiamo scendere dal treno?» chiese Max.

«No, rimarremo nello scompartimento e un uomo verrà a controllarci i passaporti… come fanno i controllori con i biglietti. Ma c'è una cosa molto importante che dovete ricordare» e guardò bene i figli in viso. «Quando viene l'uomo a controllare i passaporti non dovete dire neppure una parola. Niente, capito?»

«Perché no?» chiese Anna.

«Perché altrimenti l'uomo dirà che sei una bambina troppo pettegola e ti ritirerà il passaporto» intervenne Max, che era sempre di cattivo umore quando non dormiva abbastanza.

«Mamma! Lo farà davvero... voglio dire... di ritirarci i passaporti?» chiese Anna disperata.

«No, non credo... Ma non si sa mai, il babbo è molto conosciuto... Non dobbiamo assolutamente attirare l'attenzione su di noi. Mi raccomando: neanche una parola, ricordate!»

Anna promise di ricordarselo.

Finalmente aveva smesso di piovere e fu facile attraversare la piazza fino alla stazione. Il cielo si stava schiarendo e Anna vide che c'erano dappertutto manifesti elettorali. Due o tre persone stavano aspettando che aprisse un luogo che recava la scritta Seggio Elettorale. Si chiese se andavano a votare e per chi.

Il treno era quasi vuoto e rimasero soli nello scompartimento, finché alla stazione successiva salì una signora con un cesto in mano.

Anna sentì un fruscio, qualcosa che si muoveva nella cesta... Guardò Max e cercò d'incontrare il suo sguardo per vedere se anche lui l'aveva sentito, ma notò che era ancora di cattivo umore e guardava accigliato fuori dal finestrino. Anche Anna cominciò a sentirsi nervosa e si ricordò che la testa le faceva male e le scarpe erano ancora umide dalla sera prima.

«Quando arriviamo alla frontiera?» chiese.

«Non so» rispose la mamma. «Ci vorrà ancora

un po'.» Anna vide che schiacciava di nuovo la faccia del cammello.

«Ci vorrà un'ora?» insistette.

«Non la smetti mai di fare domande» intervenne Max, sebbene non c'entrasse niente. «Non puoi chiudere il becco?»

«E tu allora?» C'era rimasta molto male e cercò di controbattere con qualcosa di terribilmente offensivo. Alla fine se ne uscì con: «Magari avessi una sorella!»

«Magari io non l'avessi!» ribatté Max.

«Mamma…!» piagnucolò Anna.

«Per l'amor del cielo, basta!» gridò la mamma. «Non ne abbiamo già abbastanza?» Continuava a

tenere stretta la borsa col cammello e ogni tanto guardava dentro per vedere se c'erano ancora i passaporti.

Anna si rigirò inquieta sul sedile. Erano tutti cattivi. La signora col cesto intanto aveva tirato fuori un grosso pezzo di pane e prosciutto e stava masticando. Per un bel po' ci fu silenzio. Poi il treno cominciò a rallentare.

«Scusi, ci avviciniamo alla frontiera svizzera?» chiese la mamma.

La signora col cesto continuò a masticare e scosse il capo.

«Hai visto? Anche la mamma fa le domande!» disse Anna a Max.

Max non si degnò neppure di rispondere e si limitò ad alzare gli occhi al cielo. Anna avrebbe voluto rifilargli un calcio, ma la mamma la stava guardando. Il treno si fermò e ripartì, di nuovo si fermò e ripartì. Ogni volta la mamma chiedeva se era la frontiera, e ogni volta la signora col cesto scuoteva il capo. Infine, quando il treno rallentò in prossimità di un gruppo di case, la signora col cesto disse: «Direi proprio che adesso ci siamo.»

Aspettarono in silenzio mentre il treno si fermava alla stazione. Anna sentì delle voci e le porte degli altri scompartimenti che si aprivano e si chiudevano. Poi si sentirono dei passi nel corridoio.

La porta del loro scompartimento si aprì e comparve l'ispettore dei passaporti. La divisa era un po' come quella dei bigliettai e aveva grossi baffi neri.

Guardò il passaporto della signora col cesto, fece un cenno col capo, quindi lo timbrò e glielo restituì. Poi si volse verso la mamma. La mamma gli consegnò i passaporti sorridendo, ma la mano che stringeva la borsa stava irrimediabilmente strozzando il povero cammello. L'uomo esaminò i passaporti. Guardò la mamma per controllare che si trattasse dello stesso viso della foto e lo stesso fece con Max e Anna. Prese il timbro. Improvvisamente si ricordò qualcosa e guardò di nuovo i passaporti. Poi li timbrò e li restituì alla mamma.

«Buon viaggio» le augurò, mentre apriva la porta dello scompartimento.

Non era successo niente. Max l'aveva spaventata per niente.

«Hai visto...!» gridò Anna, ma la mamma le rivolse un tale sguardo che si sentì gelare.

L'ispettore chiuse la porta dietro di sé.

«Siamo ancora in Germania» le fece notare la mamma.

Anna diventò rossa. La mamma rimise i passaporti nella borsa. Silenzio. Anna sentiva quel qualcosa che si agitava nella cesta, la signora che masticava un altro pezzo di pane e prosciutto, le porte che si aprivano e chiudevano sempre più in fondo nel treno. Pareva non dovesse mai finire. Poi il treno riprese ad andare, fece qualche centinaio di metri e si fermò ancora. Di nuovo le porte che si aprivano e chiudevano, questa volta più in fretta, voci che dicevano: «Dogana... niente da dichiarare...?» Un uomo, diverso da quello di prima, entrò nello scompartimento. La mamma e la signora dissero che non avevano niente da dichiarare e l'uomo fece un segno col gesso su tutto il bagaglio, anche sulla cesta. Stettero ancora fermi, poi si udì un fischio e finalmente il treno si mise di nuovo in moto. Questa volta acquistò sempre più velocità e continuò a correre, fischiando, attraverso la campagna.

Dopo un bel po', Anna chiese: «Non siamo ancora in Svizzera?»

«Mi pare di sì, ma non ne sono sicura» rispose la mamma.

La signora col cesto smise di masticare. «Ma certo, questa è la Svizzera, il mio paese» disse con soddisfazione.

Era magnifico.

«La Svizzera! Siamo in Svizzera!» gridò Anna.

«E anche in orario» sogghignò Max.

La mamma posò la borsa col cammello sul sedile accanto, mentre sorrideva, sorrideva felice.

«Finalmente! Finalmente!» disse. «Presto rivedremo il babbo.» Anna si sentì improvvisamente alleggerita da un peso e in vena di sciocchezze. Aveva voglia di fare o dire qualcosa di straordinario, di divertente, ma non sapeva cosa... allora si volse verso la signora svizzera e chiese: «Scusi, ma cosa c'è nella cesta?»

«È il mio priprì» rispose la signora col suo accento di campagna.

Chissà perché, ma era una cosa che faceva tanto ridere. Anna cercò di trattenersi, guardò verso Max e vide che anche lui stava per scoppiare a ridere.

«Cos'è un... cos'è un priprì?» domandò Anna, mentre la donna scoperchiava la cesta, e prima che avesse il tempo di rispondere, si sentì un acuto «Miii!» e apparve la testa arruffata di un gatto nero. Al che Anna e Max non si trattennero più e scoppiarono a ridere come matti.

«Ti ha risposto lui in persona!» boccheggiava Max. «Hai chiesto: "Cos'è un priprì?" e lui ha risposto...»

«Miiiii!» strillava Anna.

«Ragazzi, ragazzi!» la mamma cercava di riprenderli, ma non c'era verso, non riuscivano a smettere, risero di tutto quello che vedevano per tutto il resto del viaggio, fino a Zurigo.

La mamma si scusava con la signora, che rispondeva di non preoccuparsi, perché lei apprezzava il buon umore. A momenti pareva che si calmassero, ma bastava che Max dicesse: «Cos'è un priprì?» e Anna strillava: «Miii!» e così ricominciavano daccapo. Arrivati a Zurigo, ridevano ancora mentre, sul marciapiede della stazione, cercavano il babbo.

Anna lo vide per prima. Era in piedi vicino a un chiosco di giornali. Era pallidissimo e intento con lo sguardo a cercare tra la folla che scendeva dal treno.

«Babbo! Babbo!» gridò Anna.

Il babbo si girò, li vide e si precipitò verso di loro, proprio lui che era sempre così controllato e non perdeva mai la calma. Abbracciò stretta la mamma, poi Anna e Max. Li abbracciava e pareva non li volesse più lasciare.

«Non riuscivo a vedervi, avevo paura…» disse il babbo.

«Anch'io… tanta tanta paura…» rispose la mamma.

Capitolo cinque

Il babbo aveva prenotato delle camere nel miglior albergo di Zurigo. C'era una porta girevole, tappeti spessi e dappertutto legni dorati. Erano appena le dieci e così fecero un'altra colazione, mentre raccontavano al babbo tutto quello che era successo dopo che lui era partito da Berlino.

Dapprima sembrava che ci fossero moltissime cose da dire, ma dopo un po' si resero conto che era così bello stare insieme, anche senza parlare.

Mentre Anna e Max facevano fuori due tipi di croissant e quattro varietà di marmellata, la mamma e il babbo continuavano a guardarsi, sorridendo. Ogni tanto si ricordavano qualcosa, e il babbo chiedeva: «Ce l'hai fatta a portare i libri?» oppure la mamma diceva: «Ha telefonato il giornale: vorrebbero un articolo questa settimana, se possibile.» E tornavano a guardarsi sorridendo, in silenzio.

Alla fine Max, quando ebbe finito la cioccolata in tazza, si tolse via le ultime briciole di croissant dalla bocca e chiese: «E ora cosa facciamo?»

Nessuno ci aveva pensato.

Il babbo rifletté e poi rispose: «Diamo un'occhiata a Zurigo.»

Decisero di andare prima di tutto in cima a una collina sovrastante la città. La salita era così ripida che si doveva andare con la funicolare: una specie di ascensore con le ruote che saliva fino in cima, con un dislivello da fare paura. Anna, che non c'era mai stata prima d'allora, passò tutto il tempo in preda all'eccitazione della novità e in parte scrutando la cabina per vedere se era consumata da qualche parte.

Dall'alto della collina si vedeva tutta Zurigo, raggruppata all'estremità di un immenso lago azzurro. Il lago era così grande che la città al confronto appariva piccola, nascosta com'era, in fondo, dalle montagne. I vaporetti, che dall'alto sembravano giocattoli, si fermavano a ogni paesino sparpagliato sulla costa. Il sole splendeva e rendeva tutto molto attraente.

«Si può andare su quei vaporetti?» chiese Max, proprio mentre Anna stava facendo la stessa domanda.

«Vi piacerebbe? Allora ci andremo questo pomeriggio» rispose il babbo.

Pranzarono in uno splendido ristorante con una veranda sul lago, ma Anna non mangiò molto. Le girava la testa, forse perché si era alzata troppo presto, pensava. Il naso non le colava più, ma le faceva male la gola.

«Ti senti bene?» le chiese la mamma preoccupata.

«Oh, sì, sì!» rispose Anna, pensando alla gita in vaporetto del pomeriggio. Certo si sentiva così per via della stanchezza.

Vicino al ristorante c'era un negozio che vendeva cartoline e Anna ne comprò una e la spedì a Heimpi, mentre Max ne mandò una a Gunther.

«Chissà come vanno le elezioni» chiese la mamma preoccupata. «Pensi che i tedeschi voteranno davvero per Hitler?»

«Ho paura di sì» rispose il babbo.

«Io dico di no» intervenne Max. «Un sacco di ragazzi della mia scuola erano contro di lui. Magari domani si scopre che nessuno ha votato per Hitler e così possiamo tornare a casa, come ha detto lo zio Julius.»

«Può darsi» disse il babbo, ma Anna si accorse che non ne era affatto convinto.

Quel pomeriggio la gita in vaporetto ebbe un grande successo. Anna e Max rimasero sul ponte, malgrado il vento freddo, a guardare il traffico sul lago. Oltre ai vaporetti, c'erano motoscafi privati e persino qualche barca a remi. Il vaporetto andava sbuffando da un paesino all'altro lungo una sponda del lago.

I paesini erano tutti molto graziosi, con le linde casette che facevano capolino tra i boschi e le colline. Quando il vaporetto si avvicinava al molo, fischiava forte per farsi sentire da tutti nel villaggio, e ogni volta c'era un gran traffico di gente che scendeva e saliva. Dopo circa un'ora, abbandonò improvvisamente quella sponda e attraversò il lago per raggiungere un paesino dall'altra parte e quindi tornò a Zurigo da dove era partito.

Mentre tornavano all'albergo, tra il rumore delle automobili e degli autobus e lo sferragliare dei tram, Anna si sentì molto stanca e la testa le girava. Era contenta di essere di nuovo in albergo, nella stanza che divideva con Max. Neanche adesso aveva fame e aveva un'aria così stanca che la mamma la mise subito a letto. Non appena ebbe posato la testa sul cuscino, ebbe l'impressione che il letto si sollevasse e galleggiasse nel buio fischiando come un battello, o un treno, oppure con un suono che veniva dalla sua testa.

Quando aprì gli occhi, la mattina dopo, Anna ebbe l'impressione che nella stanza ci fosse troppa luce. Subito li richiuse e rimase immobile, cercando di concentrarsi. Dall'altro capo della stanza veniva un brusio di voci e anche uno strano fruscio che non capiva cosa fosse.

Doveva essere tardi, gli altri erano già in piedi di certo. Cercò ancora di aprire gli occhi piano piano e questa volta la luce troppo viva si mosse e ondeggiò e finalmente si fermò nella stanza che le era familiare, con Max, ancora in pigiama, seduto nell'altro letto e, in piedi accanto a lui, la mamma e il babbo.

Il babbo aveva un giornale in mano; motivo dello strano fruscio che sentiva. Parlavano sottovoce, pensando che lei stesse ancora dormendo. Ad Anna parve di nuovo che la stanza si sollevasse, chiuse ancora gli occhi e mentre scivolava via, il bisbiglio continuava. Qualcuno stava dicendo: «… così hanno ottenuto la maggioranza…» Poi la voce si spegneva e un'altra (o era la stessa?) continuava: «… abbastanza voti per fare quello che vuole lui…» E poi la voce inconfondibile di Max che interveniva tristemente: «… così non possiamo tornare in Germania… così non possiamo tornare in Germania… così non possiamo tornare in Germania…» L'aveva davvero ripetuto tre volte? Anna aprì gli occhi con grande sforzo e chiamò: «Mamma!» Immediatamente una figura si staccò dal gruppo, venne verso di lei e improvvisamente il viso della mamma fu vicinissimo al suo. Anna ripeté: «Mamma!» e allora di colpo si mise a piangere, perché le faceva molto male la gola.

E tutto dopo diventò vago. La mamma e il babbo stavano vicino al suo letto e guardavano un termometro. Il babbo aveva addosso il soprabito. Forse era andato a comprare il termometro. Qualcuno stava dicendo: «Quarantuno», ma non poteva trattarsi della sua febbre, perché non ricordava di averla misurata.

Quando aprì di nuovo gli occhi, c'era un uomo con la barbetta vicino a lei. Disse: «Allora, signorina» e sorrise, e mentre sorrideva si sollevò da terra e volò in cima all'armadio, diventò un uccello e si mise a gracchiare: «Influenza», finché la mamma non lo fece volare fuori della finestra.

Poi improvvisamente era notte e domandò a Max un po' d'acqua, ma suo fratello non c'era e al suo posto era sdraiata la mamma. «Perché dormi nel letto di Max?» chiese Anna. «Perché sei malata» rispose la mamma e Anna fu molto contenta, perché se era malata voleva dire che Heimpi sarebbe venuta a curarla.

«Dillo ad Heimpi...» cominciò, ma era troppo stanca per continuare e quando aprì gli occhi c'era ancora l'uomo con la barbetta e non le piaceva, perché sconvolgeva la mamma, continuando a ripetere: «Complicazioni» e non la smetteva mai. Aveva fatto qualcosa dietro al collo di Anna, era tutto gonfio e indolenzito e adesso lo toccava con la mano. «La smetta!» gridò Anna, ma lui non le diede retta e cercò di farle bere una cosa schifosa. Anna la stava respingendo, ma si accorse che non si trattava dell'uomo con la barba, bensì della mamma, e i suoi occhi azzurri avevano un'espressione così decisa e autoritaria che non c'era verso di opporsi.

Dopo, le cose intorno smisero di girare. Cominciò a capire che era stata malata per qualche tempo, aveva ancora la febbre molto alta e si sentiva così male perché tutte le ghiandole del collo erano terribilmente gonfie e molli.

«Dobbiamo far scendere la febbre» disse il dottore con la barba. Allora la mamma decise: «Adesso ti metto qualcosa sul collo che ti farà sentire meglio.»

Anna vide del vapore venir fuori da una bacinella. «È bollente!» gridò. «Non lo voglio!»

«Non aver paura, non te lo metto bollente» la rassicurò la mamma.

«Non lo voglio» strillò Anna. «Tu non sei capace di curarmi! Dov'è Heimpi? Heimpi non mi mette mai la roba bollente sul collo!»

«Sciocchezze!» rispose la mamma, provandosi un tampone fumante sul collo. «Vedi? Se non è bollente per me, vuol dire che va bene anche per te» e lo mise energicamente sul collo di Anna, fasciandolo rapidamente.

Era molto caldo, ma sopportabile.

«Non era poi così terribile, vero?» chiese la mamma.

Anna era talmente arrabbiata che non rispose e la stanza cominciò di nuovo a girare, ma mentre sprofondava ancora nell'incertezza, sentì la voce della mamma che diceva: «Dovessi crepare, le farò scendere la febbre!»

Si era assopita o forse aveva sognato, perché improvvisamente il collo era fresco come prima e la mamma lo stava sfasciando.

«Come stai, maialotto?» chiese la mamma.

«Maialotto?» ripeté debolmente Anna.

La mamma stava toccando con delicatezza una delle ghiandole gonfie di Anna.

«Questo è un maialotto» continuò la mamma. «È il più cattivo. L'altro non è così cattivo... si chiama porcellino... E questo è il maialino rosa e l'altro è un bebé e questo... come lo chiamiamo?»

«Signorina Lambeck» rispose Anna e cominciò a ridere. Era così debole, che più che una risata pareva il verso di una gallina, ma la mamma si rallegrò lo stesso.

La mamma continuò ad applicarle degli impacchi caldi ed era abbastanza divertente, perché scherzava sempre con la storia del maialotto e del porcellino e della signorina Lambeck, ma sebbene il collo non le facesse più tanto male, la febbre non si decideva a diminuire. Quando si svegliava, si sentiva abbastanza bene, ma verso mezzogiorno cominciava a girarle la testa e la sera tutto diventava vago e confuso.

Le venivano in mente le cose più strane. La spaventavano i disegni della tappezzeria e non sopportava di rimanere sola. Una volta la mamma era scesa per mangiare e lei ebbe l'impressione che la stanza diventasse sempre più piccola e si mise a gridare per paura di rimanere schiacciata. Allora la mamma si fece portare un vassoio e mangiò lì con lei. Il dottore disse: «Non può andare avanti molto così.»

Un pomeriggio Anna era distesa a letto e fissava le tende. La mamma le aveva appena tirate perché si era fatto buio e Anna cercava di scoprire che figura componevano le pieghe. La sera prima avevano formato uno struzzo e via via che la febbre saliva, Anna lo vedeva sempre più chiaramente, tanto da immaginarlo in giro per la stanza. Questa volta pensò che poteva venir fuori un elefante.

Improvvisamente sentì un bisbiglio all'altro capo della stanza. Girò con fatica la testa. Il babbo era seduto con la mamma e stavano leggendo una lettera. Non riusciva a sentire cosa diceva la mamma, ma dalla voce sembrava agitata e turbata.

Il babbo piegò la lettera e prese la mano della mamma, e Anna pensò che andasse via, ma invece rimase lì seduto, stringendo sempre la mano della mamma. Il bisbiglio era divenuto più soffocato e continuo. Era un suono molto dolce e dopo un po' Anna si addormentò, ascoltandolo.

Quando si svegliò, capì subito che aveva dormito per molto tempo. C'era anche qualcos'altro di strano, ma non riusciva a capire cosa fosse. La stanza era avvolta nell'oscurità, eccetto la luce sul tavolo, dove di solito sedeva la mamma, e Anna pensò che forse l'aveva dimenticata accesa, quando era andata a letto. Ma la mamma non era a letto: era ancora seduta vicino al babbo, così com'erano prima che Anna si addormentasse. Il babbo teneva con una mano quella della mamma e nell'altra aveva la lettera ripiegata.

«Ciao mamma, ciao babbo» salutò Anna. «Mi sento così strana.» La mamma e il babbo si precipitarono accanto a lei e la mamma le posò la mano sulla fronte. Le infilò il termometro in bocca e quando lo tolse non credeva ai suoi occhi. «Normale! Per la prima volta dopo quattro settimane è normale!» gridò.

«Il resto non importa» disse il babbo e stracciò la lettera.

Poco per volta Anna si sentì meglio. Il maialotto, il porcellino, la signorina Lambeck e compagnia diventarono sempre più piccoli e il collo non le faceva più male. Riprese a mangiare e a leggere. Max, quando non era fuori da qualche parte col babbo, veniva a giocare a carte con lei. Presto

Anna cominciò ad alzarsi dal letto, faceva qualche passo e si sedeva su una seggiola. La mamma doveva aiutarla a fare quei pochi passi, ma lei era così contenta di sedersi al sole, vicino alla finestra.

Il cielo era azzurro e notò che la gente in strada non aveva più il cappotto. C'era una donna che vendeva tulipani in un chiosco sul marciapiede di fronte e un albero di castagno all'angolo aveva un fitto fogliame. Era primavera. Era stupita di come le cose erano cambiate durante la sua malattia. La gente in strada pareva godere della primavera e comprava fiori al chiosco. La donna che vendeva tulipani, grassottella e scura di capelli, assomigliava un po' ad Heimpi. Improvvisamente Anna ricordò qualcosa. Heimpi doveva raggiungerli due settimane dopo che erano partiti dalla Germania. Adesso era passato più di un mese.

Perché non era venuta? Voleva chiederlo alla mamma, ma in quel momento entrò Max.

«Max, perché Heimpi non è venuta?»

Max parve colto di sorpresa. «Vuoi tornare a letto?» chiese.

«No» rispose Anna.

«Be', non so se devo dirtelo, ma sono successe molte cose mentre eri malata.»

«Cosa?»

«Sai, Hitler ha vinto le elezioni. Ha preso subito in mano tutto il potere, è successo proprio come diceva il babbo... nessuno può dire una parola contro di lui, altrimenti lo gettano in prigione.»

«Heimpi ha detto qualcosa contro Hitler?» Anna immaginava già Heimpi rinchiusa in gattabuia.

«No, certo che no. Ma il babbo sì. E lo dice ancora. E naturalmente nessuno in Germania può pubblicare quello che scrive il babbo. Così non guadagna neanche un soldo e non possiamo pagare lo stipendio ad Heimpi.»

«Ho capito. Allora siamo poveri?»

«Un po', sì. Ma il babbo sta cercando di scrivere per qualche giornale svizzero e così andrà ancora tutto bene.»

Mentre Max si alzava per andare, Anna disse tutto d'un fiato: «Non pensavo che ad Heimpi importassero tanto i soldi. Se avessimo avuto una casetta, sono sicura che sarebbe venuta lo stesso, anche se non avremmo potuto pagarla tanto.»

«Be', questa è un'altra storia» Max esitò e poi aggiunse: «Non possiamo prendere una casa, perché non abbiamo i mobili.»

«Ma...»

«Si sono beccati tutto i nazisti. Si chiama confisca dei beni. Il babbo ha ricevuto una lettera la settimana scorsa.» Max strinse i denti. «Sembrava proprio di essere a teatro, quando si vedono quelle terribili commedie, dove la gente non la smette mai di portare cattive notizie. E come se non bastasse, ci mancavi anche tu che stavi per tirare le cuoia...»

«Non stavo affatto tirando le cuoia!» ribatté Anna indignata.

«Sì, lo so che non tiravi le cuoia, ma quel dottore svizzero ha una fantasia macabra. Vuoi tornare a letto, adesso?»

«Sì, è meglio.» Anna si sentiva molto debole e Max la sostenne.

Quando fu di nuovo a letto, Anna chiese: «Max, questa, come si chiama, confisca dei beni, ma... i nazisti hanno preso tutto... anche le nostre cose?»

Max annuì.

Anna cercò di figurarselo. Il piano non c'era più... le tende a fiori della stanza da pranzo... il suo letto... tutti i suoi giocattoli, anche il Coniglio Rosa di pezza. Per un attimo si sentì molto triste per via del Coniglio Rosa. Gli erano stati ricamati degli occhi neri, perché quelli di vetro li aveva persi anni addietro e aveva l'abitudine di crollare sulle zampe: e questo lo rendeva ancora più caro. Il pelo, anche se non era più rosa, era soffice, familiare. Come aveva potuto scegliere di portare via il cane di pezza, nuovo, senza personalità? Era stato uno sbaglio terribile e adesso non poteva fare più niente.

«L'ho sempre detto che dovevamo portare la scatola dei giochi» disse Max. «In questo momento scommetto che Hitler sta giocando con il mio gioco dell'oca.»

«E starà coccolando il mio Coniglio Rosa!» aggiunse Anna e si mise a ridere, ma le lacrime le riempirono gli occhi e cominciarono a scenderle sulle guance.

«Be', è già una fortuna che siamo qui.»

«Cosa vuoi dire?» chiese Anna.

Max guardò attentamente fuori della finestra, evitando il suo sguardo.

«Il babbo ha avuto notizie da Heimpi» disse sforzandosi di essere naturale. «Il giorno dopo le elezioni i nazisti sono andati a casa nostra e volevano ritirarci i passaporti.»

Capitolo sei

Non appena Anna si sentì in forze, lasciarono l'albergo, troppo costoso per loro. Il babbo e Max avevano trovato una pensione in uno dei paesini sul lago. Si chiamava Pensione Zwirn, dal nome del proprietario signor Zwirn, ed era molto vicina al molo con un cortile acciottolato e un giardino che arrivava giù fino al lago. La gente per lo più ci andava a mangiare e a bere, ma il signor Zwirn aveva anche qualche camera da affittare a buon mercato. La mamma e il babbo occupavano una stanza e un'altra la dividevano Max e Anna, così spendevano ancora meno.

Dabbasso c'era una grande e comoda sala da pranzo, decorata con corna di antilope e mazzi di stelle alpine. Ma quando cominciò a far caldo, misero le sedie e i tavoli in giardino e la signora Zwirn serviva a tutti da mangiare sotto i castagni in riva al lago. Tutto questo appariva meraviglioso ad Anna.

Alla fine della settimana venivano i suonatori del paese e spesso si fermavano a suonare fino a

notte inoltrata. Si poteva ascoltare la musica guardando il luccichio dell'acqua tra le foglie, mentre i battelli scivolavano via. Quando faceva buio, il signor Zwirn schiacciava l'interruttore e si accendevano delle lucine sugli alberi, così ci si vedeva per mangiare.

Sul lago i battelli, per rendersi visibili alle altre imbarcazioni, accendevano delle luci colorate. Alcune erano color ambra, ma le più graziose erano di un azzurro intenso.

Ogni volta che Anna vedeva una di queste magiche luci azzurre apparire contro il cielo azzurro più scuro e poi riflettersi nella profondità blu del lago, era come se ricevesse un regalo, tutto per sé.

Gli Zwirn avevano tre figli che andavano in giro a piedi scalzi e quando le gambe di Anna riacquistarono forza, lei e Max andarono in giro con loro a esplorare i dintorni. C'erano boschi, ruscelli e cascate, viottoli fiancheggiati da alberi di melo e dappertutto fiori selvatici. Qualche volta la mamma si univa a loro per non stare sola in pensione. Il babbo andava quasi tutti i giorni a Zurigo, dagli editori dei giornali svizzeri, per cercare lavoro.

I ragazzi Zwirn, come tutti nel paese, parlavano un dialetto svizzero che Anna e Max in principio non riuscivano a capire. Ma ben presto lo impararono e il più grande, Franz, insegnò a Max a pescare, anche se Max non riuscì mai a prendere un pesce, mentre Vreneli, sua sorella, mostrò ad Anna come si giocava lì a "mondo".

In questa atmosfera favorevole, Anna ben presto si ristabilì completamente e un giorno la mamma annunciò che era venuta l'ora di tornare a scuola. Max sarebbe andato alle Scuole Superiori di Zurigo. Avrebbe viaggiato in treno, che non era così divertente come col battello, ma molto più rapido. Anna doveva andare alla scuola del paese con i ragazzi Zwirn, e siccome aveva pressappoco la stessa età di Vreneli, avrebbe frequentato la stessa classe.

«Sarai la mia migliore amica» disse Vreneli. Aveva delle treccine lunghe, color topo, e un'espressione eternamente preoccupata. Anna non era proprio sicura di voler diventare la migliore amica di Vreneli, ma le sembrava poco gentile dirglielo.

Un lunedì mattina s'incamminarono insieme, Vreneli a piedi scalzi con le scarpe in mano. Via via che si avvicinavano a scuola, incontrarono altri ragazzini e anche loro avevano le scarpe in mano.

Vreneli presentò Anna a qualche bambina, ma i maschi rimasero dall'altra parte della strada e le guardavano senza parlare. Non appena arrivarono nel cortile della scuola, un'insegnante suonò la campanella e ci fu una confusione pazza per infilarsi le scarpe. Il regolamento della scuola imponeva le scarpe, ma la maggior parte dei ragazzi si decideva a infilarle solo all'ultimo momento.

L'insegnante di Anna si chiamava signor Graupe. Era vecchiotto, con una barba grigiastro-giallognola e tutti avevano soggezione di lui. Mise Anna vicina di banco a una ragazzina allegra, bionda, di nome Roesli e mentre Anna andava a sedersi al suo posto, camminando nel centro della classe tra una fila e l'altra dei banchi, si sollevò un brusio generale.

«Cosa c'è?» chiese sottovoce non appena il signor Graupe girò le spalle.

«Hai camminato nel centro della classe» rispose Roesli di nascosto. «Soltanto i maschi possono camminarci.»

«E le bambine dove camminano?»

«Lungo i lati.»

La cosa era piuttosto strana, ma il maestro aveva cominciato a scrivere delle addizioni alla lavagna, e non c'era tempo per approfondire la cosa. Le addizioni erano facilissime e Anna le finì in fretta. Poi si guardò in giro.

I maschi erano seduti in due file tutti da una parte e le femmine dall'altra. Era molto diverso dalla scuola di Berlino, dove maschi e femmine erano seduti insieme. Quando il signor Graupe chiese che gli portassero i quaderni, Vreneli si alzò e raccolse i quaderni delle femmine, mentre un ragazzotto coi capelli rossi ritirò quelli dei maschi. Il ragazzotto coi capelli rossi camminò nel centro della classe, mentre Vreneli girò di lato, finché si incontrarono davanti alla cattedra, ognuno con una pila di quaderni in mano. Evitarono accuratamente di guardarsi in faccia, ma Anna notò che Vreneli era leggermente arrossita sotto i codini da topo.

All'ora di ricreazione, i maschi giocavano a calcio e si rincorrevano da una parte del cortile, mentre dall'altra parte le femmine giocavano a mondo, oppure stavano sedute compostamente a chiacchierare. Le bambine facevano finta di non occuparsi dei ragazzi, ma invece di nascosto non li perdevano d'occhio, e quando Vreneli e Anna tornarono a casa da scuola, Vreneli era così intenta a spiare dall'altra parte della strada quel che faceva il ragazzo coi capelli rossi, che per poco non si spappolò contro un albero. Il pomeriggio tornarono per un'ora di canto e per quel giorno la scuola era finita.

«Ti è piaciuto?» chiese la mamma, quando Anna tornò alle tre.

«È molto interessante» rispose Anna. «Ma è buffo... i maschi e le femmine non si parlano neanche e non so se imparerò qualcosa.» Il maestro Graupe, quando aveva corretto le addizioni, aveva fatto un sacco di sbagli, e non parlava neanche tanto bene.

«Be', non importa se non imparerai molto» disse la mamma. «Non ti farà male un po' di riposo dopo la malattia.»

«Mi piace canto» aggiunse Anna. «Tutti fanno lo "yodel" e adesso lo insegnano anche a me.»

«Oh, no!» esclamò la mamma e di colpo lasciò cadere un punto. La mamma stava imparando a lavorare a maglia. Non l'aveva mai fatto, ma Anna aveva bisogno di un golf e la mamma cercava di risparmiare i soldi. Aveva comprato lana e ferri da calza e la signora Zwirn le aveva insegnato a usarli. Ma c'era qualcosa che non andava, osservando la mamma. Mentre la signora Zwirn sedeva facendo tintinnare leggermente i ferri con le dita, la mamma lavorava di spalla. Ogni volta che infilava il ferro nella lana, sembrava partire all'attacco e ogni volta che lo sfilava, tirava il punto e lo faceva così stretto che quasi lo rompeva. Il risultato era che il golf avanzava lentamente e assomigliava più a una stoffa pesante che a una maglia.

«Non ho mai visto una maglia così» osservò meravigliata la signora Zwirn quando lo vide, «ma terrà un bel caldo quando sarà finito.» Una domenica mattina, subito dopo che Anna e Max avevano ripreso la scuola, videro una persona nota scendere dal battello e incamminarsi sul molo. Era lo zio Julius. Era più magro di come lo ricordava Anna ed era una cosa meravigliosa rivederlo, anche se in un certo senso confondeva... era come se improvvisamente un pezzo della casa di Berlino fosse apparso in riva al lago.

«Julius!» gridò felice il babbo quando lo vide. «Cosa diavolo fai qui?» Lo zio Julius fece un sorriso breve, amaro. «Ufficialmente non sono affatto qui. Sai che di questi tempi è considerata una pazzia anche venire a trovarti?»

Aveva partecipato a un congresso di naturalisti in Italia e tornando a Berlino ne aveva approfittato, partendo un giorno prima per venirli a trovare.

«Ne sono onorato e ti ringrazio» rispose il babbo.

«I nazisti sono proprio imbecilli» continuò lo zio Julius. «Come potresti, proprio tu, essere un nemico della Germania? Naturalmente sai che hanno bruciato tutti i tuoi libri.»

«Per fortuna erano in buona compagnia» commentò amaro il babbo.

«Che libri?» chiese Anna. «Sapevo che i nazisti

avevano preso la nostra roba... non sapevo che l'avessero anche bruciata.»

«Non si tratta dei libri che tuo padre possedeva» spiegò lo zio Julius. «Sono i libri che tuo padre ha scritto: i nazisti hanno acceso dei falò dappertutto e vi hanno gettato tutte le copie che sono riusciti a trovare.»

«Insieme alle opere di altri famosi scrittori, come Einstein, Freud, H.G.Wells...» precisò il babbo.

Lo zio Julius scosse la testa, come a sottolineare la pazzia di tutto ciò.

«Meno male che non hai seguito il mio consiglio» disse. «Meno male che sei partito al momento giusto. Certo questa situazione in Germania non può durare!»

Mentre pranzavano, in giardino, raccontò le ultime novità. Heimpi aveva trovato lavoro presso un'altra famiglia. Era stato difficile all'inizio, perché appena la gente veniva a sapere che aveva lavorato per il babbo, non voleva assumerla. Adesso tutto considerato si trovava abbastanza bene. La casa era ancora vuota, nessuno l'aveva ancora comprata.

Era strano, pensava Anna, che lo zio Julius potesse andare a guardarla ogni volta che voleva. Passava davanti alla cartoleria, scendeva giù lungo la strada e si fermava al cancello bianco. Le persiane erano chiuse, ma con la chiave lo zio Julius poteva entrare dalla porta principale, nell'ingresso buio, salire le scale fino alla stanza dei giochi, o attraversare il salotto, oppure servirsi del passaggio per entrare nella dispensa di Heimpi... Tutto tornava distintamente alla memoria di Anna e mentre lo zio Julius parlava col babbo e la mamma, lei con la mente visitava la casa da cima a fondo.

«Come va? Qui riesci a scrivere?» chiedeva intanto lo zio Julius.

Il babbo aggrottò le sopracciglia. «Sì, certo, ma poi non mi pubblicano niente.»

«Impossibile!» esclamò lo zio Julius.

«Purtroppo è così» spiegò il babbo. «Sembra che gli svizzeri ci tengano tanto a mantenere la loro neutralità, che si spaventano all'idea di pubblicare qualsiasi cosa firmata da uno dichiaratamente antinazista come sono io.»

Lo zio Julius apparve colpito.

«Come ve la cavate, intendo, finanziariamente?» domandò.

«Ci arrangiamo, comunque sto cercando di convincerli» rispose il babbo.

Parlarono degli amici comuni e fecero il nome di molte persone. Qualcuno era stato arrestato dai nazisti, altri erano riusciti a scappare e a rifugiarsi in America. Un'altra persona aveva ceduto al compromesso (chissà cosa vuol dire, pensava Anna) e aveva scritto un articolo a favore del nuovo regime. L'elenco delle persone nominate non finiva mai. I discorsi dei grandi erano tutti così in quel periodo, pensava Anna, mentre piccole onde venivano a infrangersi sulla riva e le api ronzavano tra gli alberi di castagno. Il pomeriggio portarono in giro lo zio Julius. Anna e Max lo accompagnarono nel bosco e lui scoprì con grande interesse uno strano esemplare di rospo che non aveva mai visto. Più tardi fecero una gita con un battello preso a nolo. Poi cenarono insieme e infine venne l'ora della partenza per lo zio Julius.

«Sento molto la mancanza delle nostre visite insieme allo zoo» disse mentre abbracciava Anna.

«Anch'io! Le scimmie mi piacevano più di tutto» rispose Anna.

«Ti manderò la fotografia di una» promise lo zio. Si avviarono tutti verso il molo.

Mentre aspettavano il battello, il babbo improvvisamente disse: «Non andare via, Julius. Stai qui con noi, non sei al sicuro in Germania.»

«Chi, io?» rispose lo zio con la sua voce limpida. «Chi vuoi che si interessi di me? Io mi occupo solo di animali, non faccio politica. Non sono neppure ebreo, a meno che non considerino la mia povera nonna!»

«Ma Julius, non capisci…» insistette il babbo.

«La situazione deve cambiare per forza» continuò lo zio Julius, mentre il battello si avvicinava, sbuffando, alla riva. «Arrivederci, amico mio» e abbracciò il babbo, la mamma e i ragazzi. Prima di salire sul battello si voltò ancora per un attimo e disse: «E poi, le scimmie dello zoo non potrebbero vivere senza di me.»

Capitolo sette

Via via che la frequentava, la scuola del villaggio piaceva sempre di più ad Anna. Come amica aveva Vreneli e poi altre, per esempio Roesli, sua vicina di banco, che per lo meno non era una mummia. Le lezioni erano facili e senza sforzo faceva bella figura; in quanto al signor Graupe, come maestro non era una cima, però era fortissimo come "yodeller". Insomma, la scuola le piaceva perché era così diversa da quella di prima.

E pensare che Max, poveretto, a Zurigo, alle superiori, tirava avanti come a Berlino. C'era solo una cosa che non le andava giù: qui non giocava mai con i maschi. A Berlino lei e Max giocavano sempre in gruppo, maschi e femmine, e anche a scuola. Qui, invece, era una barba, perché le bambine non facevano che giocare a mondo. All'ora di ricreazione, le capitava di guardare con invidia i maschi che facevano giochi più divertenti, eccitanti...

Un giorno capitò che non ci fosse nessuna bambina disponibile neppure per mondo. E perché? Perché i signori maschi si sbizzarrivano a fare la ruota e le bambine se ne stavano sedute compunte come mummie a guardarli di sottecchi, persino Roesli, che si era sbucciata un ginocchio, era seduta con loro. Non parliamo poi di Vreneli, che divorava con lo sguardo quel ragazzotto coi capelli rossi, quello che tentava di fare la ruota e non ci riusciva, continuando a ricadere sul fianco: inutilmente gli altri lo aiutavano a star su.

A questo punto Anna chiese a Vreneli: «Vuoi giocare a mondo?» ma Vreneli scosse il capo distrattamente. Roba da matti, pensare che ad Anna piaceva tanto la ruota e invece il Rosso non ce la faceva. E così d'un tratto non stette più nella pelle, lasciò il gruppo di femmine e si diresse verso i maschi.

«Senti» disse al Rosso, «devi tenere le gambe dritte, così» ed Anna si esibì in una perfetta ruota. Gli altri ragazzi, sbalorditi, fecero un passo indietro e ridacchiarono. Il Rosso ebbe un attimo di esitazione.

«Dai, è facile» lo incoraggiò Anna. «Ti riuscirà benissimo, basta che ti ricordi come tenere le gambe.»

Il Rosso esitava ancora, ma i compagni lo incitarono: «Dai, prova!» Allora lui provò e bisogna dire che questa volta andò molto meglio.

Anna gli mostrò ancora come doveva fare e finalmente lui capì e riuscì a eseguire una perfetta ruota, proprio mentre la campanella suonava la fine della ricreazione. Anna si riunì alle compagne, mentre i maschi continuavano a guardarla ridacchiando, e le bambine, neanche a farlo apposta, la ignorarono; si capiva benissimo che Vreneli era arrabbiata mentre Roesli le accennò un timido sorriso. Dopo la ricreazione, c'era storia e il signor Graupe decise di parlare ai suoi scolari degli uomini delle caverne. Erano vissuti milioni di anni prima, assicurò il maestro, uccidevano animali selvaggi, li mangiavano e con le pelli si facevano i vestiti. Poi impararono ad accendere il fuoco, a fare semplici utensili e a poco a poco divennero uomini civili. Questo fu il progresso, spiegò il maestro Graupe, e uno dei mezzi di diffusione furono i venditori ambulanti, che passavano di caverna in caverna con oggetti utili da barattare.

«Che tipo di oggetti, maestro?» chiese uno dei ragazzi.

Il signor Graupe lo guardò sdegnosamente lisciandosi la barba. Tutto era utile per gli uomini delle caverne, spiegò. Cose come perline, lana colorata e spille di sicurezza per tenere su le pelli, che diamine. Il particolare dei venditori ambulanti prima, e adesso le spille, sorpresero alquanto Anna: aveva una gran voglia di chiedere al maestro Graupe se ne era proprio sicuro, ma ripensandoci decise che forse era meglio lasciar perdere.

E poi, proprio in quel momento, suonò la campana.

Era talmente assorta nella storia degli uomini delle caverne mentre tornava a casa da scuola all'ora di pranzo, che lei e Vreneli erano quasi a metà strada, quando Anna si accorse che Vreneli non le aveva ancora rivolto la parola.

«Cos'hai, Vreneli?» domandò.

Vreneli scosse le trecce sottili e non spiccicò parola.

«Ma cos'hai?» insistette Anna.

Vreneli, senza degnarla neppure di uno sguardo, proruppe: «Sai benissimo cos'ho!»

«Ma io non so un corno!» rispose Anna.

«Sì che lo sai!» ribatté inviperita Vreneli.

«Accidenti, io non so niente, davvero, su dimmelo!» Anna era esasperata. Ma Vreneli rimase a bocca chiusa. Continuò a camminare in silenzio, col naso all'aria e gli occhi fissi chissà dove, senza guardare Anna neppure di sfuggita. Soltanto quando arrivarono alla pensione e stavano per separarsi, Vreneli si voltò rapidamente verso di lei e Anna notò con sorpresa che Vreneli non soltanto era arrabbiata ma era anche sul punto di piangere.

«E guarda che tutti ti abbiamo visto le mutande!» strillò come un'aquila e scappò via.

A tavola, mentre mangiava coi genitori, Anna rimase talmente silenziosa che la mamma lo notò.

«È successo qualcosa a scuola?» chiese. Anna rifletté un istante. Due cose non andavano: una era il comportamento stranissimo di Vreneli e l'altra era quello che il signor Graupe aveva scodellato sugli uomini delle caverne. Decise che l'affare Vreneli era troppo complicato e invece domandò: «Mamma, gli uomini delle caverne si tenevano davvero su le pelli con le spille da balia?»

Questa domanda suscitò risate a non finire, e un intrecciarsi di domande e risposte tale che si andò avanti così fino alla fine del pasto, finché arrivò l'ora di tornare a scuola. Neanche a farlo apposta, Vreneli se ne era già andata e Anna s'incamminò da sola, malvolentieri. Il pomeriggio a scuola c'era ancora canto con un sacco di "yodelling", che ad Anna piaceva molto, e alla fine della lezione lei si trovò improvvisamente davanti il Rosso.

«Salve, Anna!» gridò il ragazzo. Certi della combriccola ridacchiarono e prima che Anna avesse il tempo di spiccicare parola, quelli erano già fuori dalla classe.

«Cos'aveva quello?» chiese Anna.

Roesli sorrise. «Mi sa che avrai bisogno di una scorta» rispose e aggiunse misteriosamente: «Povera Vreneli!»

Anna avrebbe voluto domandare spiegazione, ma sentendo nominare Vreneli si accorse che doveva spicciarsi se non voleva tornare a casa da sola. Così la salutò: «Ciao, a domani» e corse via.

Nel cortile non c'era traccia di Vreneli. Anna aspettò un po', in caso fosse ancora negli spogliatoi, ma inutilmente. Nel cortile c'erano il Rosso e compagni, e anche loro pareva aspettassero qualcuno. Sta' a vedere che Vreneli aveva fatto apposta ad andarsene in fretta per non stare con lei. Anna sperò ancora un po', ma alla fine dovette convincersi che era inutile aspettare e s'incamminò da sola.

Anche il Rosso e combriccola decisero proprio in quel momento di andarsene. Ci volevano quindici minuti per arrivare alla pensione Zwirn e Anna sapeva la strada a memoria. Uscita dal cancello, girò a destra, e subito si accorse che i maschi facevano la stessa strada. Questa conduceva a un sentiero in salita, ghiaioso, che poi sbucava in una strada asfaltata e dopo qualche curva si arrivava alla pensione.

Appena imboccata la stradina di ghiaia, Anna si accorse che qualcosa non andava. La ghiaia, sparsa e fitta, scricchiolava forte sotto i suoi passi, quando a un tratto si accorse dello stesso rumore, soffocato, alle sue spalle. Restò per un attimo in ascolto e poi gettò un rapido sguardo indietro. Erano il Rosso e compagni. Avanzavano con le scarpe in mano, appese ai lacci, calcando nella ghiaia i piedi nudi, e neanche per sogno gli davano noia le pietruzze appuntite...

Con l'occhiata furtiva, Anna si era anche accorta che tutti le tenevano gli occhi addosso. Camminò più svelta e i passi dietro di lei si affrettarono. Poi d'un tratto, un sassolino le schizzò vicino.

Si stava domandando come diavolo avesse fatto, quand'ecco che ne arrivò un altro e questa volta sulla sua gamba. Si girò di scatto, in tempo per sorprendere il Rosso mentre raccoglieva una manciatina di ghiaia e gliela tirava.

«Sei impazzito? Piantala!» gridò Anna. Per tutta risposta lui ridacchiò come uno scemo e via, gliene tirò ancora. A questo punto anche gli altri si unirono al mitragliamento. Parte della ghiaia non arrivava a segno e quei sassolini che la colpivano erano così piccoli che non le facevano granché male, ma l'impressione era tremenda lo stesso.

Si voltò e vide uno dei ragazzini, quello con le gambe storte, poco più alto di lei, che stava tirando su una manciata di ghiaia, pronto per tirargliela addosso.

«Guai se osi!» gridò con tanta forza che il ragazzino indietreggiò, sorpreso. La bersagliò, ma di proposito mirò corto. Anna gli lanciò un'occhiata di fuoco, e i ragazzi in cambio rimasero a bocca aperta a guardarla.

Quand'ecco che il Rosso si fece avanti e urlò qualcosa. I compagni si unirono in coro e scandirono: «An-na! An-na!» Come se non bastasse, il Rosso raccolse altra ghiaia e la bersagliò, colpendola questa volta in pieno, alla spalla. Era troppo. Non le restava che darsela a gambe; e Anna prese a correre come il vento, lungo il sentiero, mentre la ghiaia le rimbalzava tutt'intorno. An-na! An-na! Non smettevano di bersagliarla mentre la inseguivano a rotta di collo. Anna continuava la sua corsa disperata, scivolando e inciampando sui sassi: se fosse riuscita a raggiungere la strada asfaltata, almeno non le avrebbero più tirato i sassi!

Ah, finalmente! Ecco l'asfalto meravigliosamente duro e liscio sotto i piedi. An-na! An-na! Stavano guadagnando terreno, adesso che non dovevano più fermarsi per raccogliere la ghiaia, correvano più in fretta.

D'improvviso la sfiorò un affare grosso, lanciato da dietro. Una scarpa! Le tiravano addosso le scarpe! Be', se non altro si sarebbero dovuti fermare per raccoglierle. Uscì da una curva e vide in fondo alla strada la pensione Zwirn. L'ultimo pezzo era in discesa e lei lo fece quasi rotolando e in men che non si dica si trovò nel cortile della pensione.

An-na! An-na! Aveva i ragazzi alle calcagna e intorno a lei le scarpe piovevano a tutt'andare... Ed ecco apparire quasi per miracolo, a mo' di angelo vendicatore, la mamma! Per la verità, venne fuori come un razzo dalla pensione. Afferrò il Rosso e gli mollò un ceffone e quasi nello stesso tempo ribatté come un boomerang la scarpa di un ragazzino che imprudentemente l'aveva fatta partire. Quindi piombò in mezzo al gruppo, disperdendolo. E durante la rapida azione, non smise di gridare: «Ma siete impazziti? Cosa vi salta in mente?» Era esattamente quello che voleva sapere Anna.

In quell'istante, vide che la mamma aveva afferrato il ragazzino con le gambe storte e lo scrollava come un ramo. Gli altri se l'erano data a gambe.

«Chi vi ha detto di cacciarla, come un animale? E di tirarle addosso tutto quello che vi capita tra le mani?» voleva sapere intanto la mamma.

Il ragazzino confuso abbassò lo sguardo e non rispose.

«Non ti lascio andare!» gridò la mamma esasperata. «Non ti lascio finché non mi dirai perché la trattate così!»

Il ragazzino lanciò intorno un ultimo sguardo disperato e infine spiccicò qualcosa arrossendo.

«Cosa dici?» ribatté la mamma.

Tanto valeva e questa volta il ragazzino strillò con quanto fiato aveva in gola: «Ci siamo tutti innamorati di lei!»

Dalla meraviglia la mamma lasciò la presa e il ragazzino ne approfittò per schizzar via e in un baleno era sparito.

«Cosa? Innamorati di te?» ripeté sbalordita la mamma.

Entrambe non riuscivano a capirci un bel niente.

Ma più tardi, quando raccontarono la cosa a Max, questi non si stupì affatto.

«È un'usanza del posto» spiegò, e aggiunse: «Quando prendono una cotta per qualcuno, lo colpiscono con quel che capita.»

«Questa poi! Ma erano in sei!» esclamò la mamma. «Possibile che non ci sia un modo più semplice per esprimere l'amore?»

Max alzò le spalle. «Qui si usa così» decretò, «e Anna dovrebbe sentirsi onorata del trattamento.»

Qualche giorno dopo, Anna lo vide in paese che lanciava mele acerbe e il bersaglio questa volta era Roesli. Max era un tipo che si adattava bene ai costumi locali.

Anna non sapeva se tornare a scuola o no il giorno dopo. "E se per caso quelli sono ancora innamorati di me?" si preoccupava. "Sono stufa di essere un bersaglio." Ma non c'era di che preoccuparsi. La mamma li aveva davvero spaventati e i maschi non osavano più sfiorare Anna neppure con lo sguardo.

Vreneli fece la pace con lei e tornarono a essere amiche come prima. Anna riuscì persino a convincerla a fare la ruota, di nascosto, in un angolo dietro la pensione. Però, davanti agli altri, a scuola, furono d'accordo di giocare sempre e soltanto a mondo.

Capitolo otto

Il giorno del decimo compleanno di Anna, il babbo avrebbe partecipato a una gita dell'Associazione Letteraria di Zurigo. Quando accennò al compleanno della figlia, anche Anna, Max e la mamma furono invitati. La mamma ne fu felice.

«Che fortunata sei! Proprio il giorno del tuo compleanno» commentò. «È un modo bellissimo per festeggiarlo.»

Ma Anna non la pensava così. «Perché non facciamo una festa come al solito?» chiese.

La mamma parve colpita. «Ma non è come al solito. Non siamo a casa» spiegò. Questo Anna lo sapeva, ma le pareva che il suo compleanno dovesse essere qualcosa di speciale per lei... non una gita alla quale chiunque altro poteva partecipare. Non disse niente.

«Senti, sarà bellissimo. Prenderanno a nolo un battello, solo per quelli della gita. Arriveremo fin quasi all'altra estremità del lago, faremo un picnic in un'isola e torneremo a casa tardi!» disse, ma Anna non parve convinta.

E non si sentì certo meglio quando arrivò il giorno del suo compleanno e vide i regali. C'era una cartolina dello zio Julius, qualche matita colorata da parte di Max, un piccolo astuccio e un camoscio di legno della mamma e del babbo. Questo era tutto. Il camoscio era carino, ma quando Max aveva compiuto dieci anni, aveva ricevuto una bicicletta nuova.

Sulla cartolina dello zio Julius c'era una scimmia e dietro, con la sua accurata calligrafia, c'era scritto: «Buon compleanno, e tanti auguri per gli anni futuri.» Anna sperò che avesse ragione per quelli futuri, perché il presente non prometteva granché.

«Il tuo quest'anno è un buffo compleanno» disse la mamma, vedendole quella faccia. «Ma ormai sei troppo grande per dare importanza ai regali.» Però a Max non l'aveva detto, quando aveva compiuto dieci anni. E poi non era un compleanno qualsiasi, pensò Anna. Era il suo primo compleanno con due numeri.

Via via che la giornata trascorreva, ad Anna parve anche peggio. La gita non era niente di speciale. Il tempo era bello, ma faceva troppo caldo sul battello e i membri dell'Associazione Letteraria parlavano tutti come la signorina Lambeck. Uno di loro chiamò addirittura il babbo "caro Maestro". Era un giovanotto grasso, con un sacco di denti aguzzi, e aveva interrotto lei e il babbo proprio mentre volevano parlare.

«Mi è così dispiaciuto per il suo articolo, caro Maestro» cominciò il giovanotto grasso.

«Anche a me» rispose il babbo. «Questa è mia figlia Anna che compie oggi dieci anni.»

«Buon compleanno» le augurò in fretta il giovanotto e subito si volse a parlare al babbo. Peccato che non gli era stato possibile pubblicare l'articolo del babbo, specialmente considerando che era un magnifico articolo. Il giovanotto l'aveva molto apprezzato. Ma il caro Maestro aveva opinioni così decise… la linea del giornale… l'atteggiamento del governo… il caro Maestro doveva rendersi conto…

«Me ne rendo perfettamente conto» rispose il babbo, girandosi, ma il giovanotto non mollò.

Tempi così difficili, continuò. Pensare che i nazisti avevano bruciato i libri del babbo... doveva essere stato terribile per il babbo. Il giovanotto capiva benissimo cosa aveva provato, perché proprio allora era stato pubblicato il suo primo libro e poteva immaginare... A proposito, il caro Maestro per caso aveva visto il primo libro del giovanotto? No? Allora il giovanotto poteva parlargliene...

Andò avanti a parlare, mentre i denti aguzzi gli tintinnavano in bocca, e il babbo era troppo educato per interromperlo. Alla fine Anna non ne poteva più e si mise a gironzolare.

Anche il picnic fu una delusione. Si trattava per lo più di panini farciti con cose adatte ai grandi. I panini erano duri e anche un po' stantii, soltanto il giovanotto grasso con quei denti aguzzi, pensava Anna, riuscirà a masticarli. Da bere c'era la birra e a lei faceva schifo, però a Max piaceva. Lui era contento. Aveva portato la canna da pesca e si era seduto molto soddisfatto sul bordo dell'isolotto a pescare. (Non prendeva un bel niente, ma non c'era da meravigliarsi perché usava per esca dei pezzetti di panino stantio che di certo non piaceva neanche ai pesci.)

Anna non sapeva cosa fare. Non c'erano altri bambini con cui giocare e dopo mangiato fu anche peggio, perché cominciarono i discorsi. La mamma non le aveva detto niente dei discorsi.

Avrebbe dovuto avvertirla. Col caldo che faceva pareva non dovessero finire mai e Anna rimase lì seduta tutto il tempo con aria triste e sconsolata, pensando a quello che avrebbe potuto fare se fossero rimasti a Berlino.

Heimpi avrebbe preparato una torta con le fragole. Avrebbe invitato per lo meno venti bambini, e ognuno avrebbe portato un regalo. A quest'ora sarebbero stati tutti a giocare in giardino. Poi sarebbe arrivata l'ora di fare merenda e le candeline sulla torta... Immaginava tutto così chiaramente che non si accorse che i discorsi finalmente erano finiti.

La mamma venne vicino a lei. «Adesso torniamo sul battello» disse e aggiunse sottovoce: «I discorsi erano terribilmente noiosi, vero?» sorridendo con aria complice. Ma Anna non rispose al sorriso. Per la mamma andava tutto bene, tanto non era il suo compleanno! Tornati sul battello, trovò un posticino in un angolo e rimase sola a guardare l'acqua. Ecco qua, pensava, mentre il battello tornava verso Zurigo. Era trascorso il suo compleanno, il suo decimo compleanno, e non c'era stato neanche un momento divertente. Ripiegò le braccia sul parapetto e vi appoggiò la testa, fingendo di guardare il panorama, perché nessuno si accorgesse di com'era triste. L'acqua scorreva sotto di lei e il vento tiepido le soffiava tra i capelli, e lei pensava che il suo compleanno era rovinato e nient'altro ormai poteva andare bene.

Dopo un po' sentì una mano posarsi sulla spalla. Era il babbo. Aveva notato la sua delusione? Ma il babbo non notava mai queste cose... era troppo preso dai suoi pensieri.

«Così adesso ho una figlia che ha dieci anni» osservò sorridendo.

«Sì» rispose Anna.

«Veramente non credo che tu abbia ancora dieci anni» continuò. «Sei nata alle sei del pomeriggio, quindi mancano ancora venti minuti.»

«Davvero?» si meravigliò Anna. Chissà perché, ma si sentiva meglio all'idea di non avere ancora dieci anni.

«Certo, non mi pare che sia passato tanto tempo. Naturalmente, allora non sapevamo che avremmo trascorso il tuo decimo compleanno in battello sul lago di Zurigo, profughi di Hitler.»

«Sono profughi quelli che devono lasciare la loro casa?»

«Sì, tutti quelli che cercano rifugio in un altro paese.»

«Non mi sono ancora abituata all'idea di essere una profuga.»

«È una cosa strana. Sei nato e cresciuto in un paese. Improvvisamente degli assassini prendono il potere ed ecco, ti ritrovi solo, in un luogo sconosciuto, con niente.» Aveva un'aria così allegra mentre lo diceva, che Anna chiese: «Non ti dispiace?»

«In un certo senso, ma lo trovo interessante» rispose.

Il sole stava tramontando. Di quando in quando spariva dietro la cima di una montagna e allora il lago sprofondava nel buio e sul battello tutto diventava piatto e anonimo. Poi riappariva nella fessura tra due picchi e il mondo riemergeva rosa dorato.

«Chissà dove saremo per il tuo undicesimo compleanno, e per il dodicesimo» osservò il babbo.

«Non saremo qui?»

«No, non credo. Se gli svizzeri non vogliono pubblicare quello che scrivo per paura di sollevare le ire dei nazisti oltre confine, tanto vale che andiamo ad abitare in un altro paese. Dove ti piacerebbe andare?»

«Non so.»

«A me piacerebbe andare in Francia.» Il babbo rimase un po' soprappensiero, poi domandò: «Sei mai stata a Parigi?»

Prima di diventare profuga, l'unico posto dove Anna andava in vacanza era il mare, ma era abituata al modo che aveva il babbo di concentrarsi su quel che diceva, senza ricordare con chi stava parlando. Scosse il capo.

«È una bellissima città, sono certo che ne sarai entusiasta.»

«Andremo in una scuola francese?»

«Credo di sì, e imparerai a parlare francese. Ma potremmo anche andare ad abitare in Inghilterra... è molto bello anche là. Ma è un po' umido.»

Guardò Anna e aggiunse: «No, credo proprio che cominceremo da Parigi.»

Adesso il sole era decisamente scomparso ed era buio. A malapena si vedeva l'acqua mentre il battello la solcava, eccetto per la schiuma bianca che brillava nella scia luminosa.

«Non ho ancora dieci anni?» chiese Anna. Il babbo guardò l'orologio. «Dieci anni esatti!» L'abbracciò. «Tanti tanti auguri di buon compleanno!»

E proprio in quel momento, si accesero le luci sul battello. C'erano poche lampadine bianche accese intorno al parapetto e il ponte restava immerso nell'oscurità, ma la cabina di colpo s'illuminò di giallo e a poppa si accese la lanterna del battello che era di un azzurro brillante.

«Che bello!» gridò Anna e improvvisamente non le interessò più niente del compleanno e dei regali. Le pareva bello e avventuroso essere una profuga, non avere una casa e non sapere dove andare ad abitare. Forse si poteva anche considerare un'infanzia difficile, come quelle del libro di Gunther e alla fine poteva anche diventare famosa.

Mentre il battello viaggiava verso Zurigo, si strinse accanto al babbo e insieme rimasero a guardare la luce azzurra del battello che lasciava dietro di sé una scia luminosa nell'acqua scura.

«Credo che mi piacerà fare la profuga» disse Anna.

Capitolo nove

L'estate avanzava e improvvisamente arrivò la fine della scuola. L'ultimo giorno c'era una festa col discorso del signor Graupe, una mostra di lavori a maglia delle ragazze, un saggio di ginnastica dei ragazzi, e poi canti e "yodelling" a non finire. Infine, a tutti fu regalato un pezzo di pane e una salsiccia. Gli studenti si incamminarono verso le loro case, attraversando le strade del paese, masticando, ridendo e facendo progetti per il giorno dopo. Erano cominciate le vacanze d'estate.

Max finì un giorno o due più tardi. Alla Scuola Superiore di Zurigo, il trimestre non finiva con "yodelling" e salsicce, ma con la pagella. Max riportò la solita sfilza di giudizi, del tipo: "Non si impegna", "Non dimostra interesse" e, come sempre in questi casi, lui e Anna si sedettero a tavola in un'atmosfera di pesante silenzio, mentre la mamma e il babbo li leggevano. La mamma era la più delusa. Era abituata al fatto che Max non si impegnasse e non mostrasse interesse per lo studio in Germania, ma aveva sperato che in qualche mo-

do in Svizzera fosse diverso... Max era intelligente, soltanto non aveva voglia di studiare. Ma mentre in Germania aveva trascurato lo studio per giocare a calcio, in Svizzera aveva preferito pescare: i risultati erano pressappoco gli stessi.

Era straordinario, pensava Anna, come continuasse a pescare senza mai prendere niente. Anche i ragazzi Zwirn ormai lo prendevano in giro. «Fai ancora il bagno ai vermi?» gli chiedevano passando e lui, in risposta, lanciava loro occhiate cariche d'odio, non potendo gridare insulti per paura di disturbare un eventuale pesce, se finalmente avesse abboccato. Quando Max non pescava, lui, Anna e i tre Zwirn andavano a nuotare nel lago, giocavano o passeggiavano nei boschi. Max andava d'accordo con Franz, e Anna si era molto affezionata a Vreneli. Trudi aveva soltanto sei anni, ma trotterellava dietro, qualunque cosa gli altri facessero.

Qualche volta c'era anche Roesli e una volta si unì alla compagnia anche il Rosso, che evitò accuratamente Anna e Vreneli, e parlò solo con Max di calcio.

Una mattina Anna e Max scesero e trovarono gli Zwirn che giocavano con un bambino e una bambina che non avevano mai visto. Erano tedeschi, pressappoco della loro età, ed erano venuti in vacanza in pensione con la famiglia.

«Da che parte della Germania venite?» chiese Max.

«Monaco» rispose il ragazzo.

«Noi abitavamo a Berlino» disse Anna.

«Accidenti!» esclamò il ragazzo. «Berlino deve essere magnifica.»

Giocarono insieme a rincorrersi. Prima non era mai stato molto divertente, perché erano soltanto in quattro (Trudi non contava, perché non correva forte e poi si metteva sempre a piangere se la prendevano.) Ma i ragazzi tedeschi erano sveltissimi e per la prima volta il gioco era davvero eccitante. Vreneli aveva appena preso il ragazzo tedesco, e lui aveva preso Anna, adesso toccava ad Anna prendere qualcuno e lei si mise a correre dietro alla bambina tedesca. Si rincorrevano in lungo e in largo nel cortile della pensione, scattando avanti e indietro, scavalcando gli ostacoli, e a un certo punto Anna stava quasi per acchiapparla... quando si trovò il passo bloccato da una signora alta e magra, con un'espressione antipatica in viso. La signora era apparsa così all'improvviso, chissà da dove, che Anna riuscì a malapena a fermarsi e quasi si scontrò con lei.

«Scusi» disse, ma la signora non rispose.

«Siegfried!» chiamò con voce stridula. «Gudrun! Vi avevo detto di non giocare con questi bambini!» Afferrò la bambina tedesca e la trascinò via. Il ragazzo la seguì, ma quando la madre non vedeva, fece una smorfia buffa ad Anna e agitò le mani, come per scusarsi, prima di sparire con gli altri nell'interno della pensione.

«Che donna nervosa» commentò Vreneli.

«Forse pensa che siamo maleducati» osservò Anna.

Cercarono di continuare a rincorrersi senza i bambini tedeschi, ma inutilmente e finì come al solito, con Trudi che piangeva perché l'avevano presa.

Anna non rivide i bambini tedeschi fino a tardi nel pomeriggio. Dovevano essere andati a Zurigo a fare spese, perché avevano in mano un pacco per uno e la madre ne portava altri. Mentre stavano entrando nella pensione, Anna pensò che questo era il momento buono per dimostrare che lei non era maleducata. Si lanciò in avanti e gli aprì la porta. Ma la signora tedesca non parve per niente compiaciuta.

«Gudrun! Siegfried!» chiamò e spinse in fretta dentro i ragazzi. Poi, con un'aria stizzita e tenendosi il più possibile lontana da Anna, entrò a fatica anche lei. Era difficile, perché, con i pacchi, a momenti si incastrava nella porta, ma alla fine riuscì e disparve nell'entrata.

Senza neanche ringraziare, pensò Anna... maleducata era lei, la signora tedesca!

Il giorno dopo lei e Max erano d'accordo con gli Zwirn di andare a fare una passeggiata nei boschi, il giorno dopo ancora pioveva e un altro giorno la mamma li portò a Zurigo a comprare le calze... così non videro i bambini tedeschi. Ma il mattino seguente, dopo colazione, quando Anna e Max andarono in cortile erano là a giocare con gli Zwirn. Anna gli corse incontro.

«Giochiamo a rincorrerci?» propose Anna.

«No» rispose Vreneli arrossendo. «E comunque tu non puoi giocare.»

Anna fu così sorpresa che per un momento non seppe cosa rispondere. Forse Vreneli era ancora arrabbiata per via del Rosso? Ma non lo vedeva da tanto tempo.

«Perché Anna non può giocare?» chiese Max.

Franz e sua sorella apparivano molto imbarazzati. «Nessuno di voi due può giocare» disse

Franz, e indicò i ragazzini tedeschi. «Hanno detto che è proibito giocare con voi.»

Evidentemente ai bambini tedeschi era stato proibito non soltanto di giocare ma anche di parlare con loro perché pareva che il bambino volesse dire qualcosa, ma alla fine fece la sua buffa smorfia di scusa e scrollò il capo.

Anna e Max si guardarono in faccia. Non era loro mai capitato di trovarsi in una situazione del genere. In quel momento Trudi, che era stata ad ascoltare, cominciò a canterellare: «Anna e Max non possono giocare! Anna e Max non possono giocare!»

«Chiudi il becco!» gridò Franz. «Andiamo!» e lui e Vreneli corsero verso il lago, seguiti dai ragazzini tedeschi. Per un momento Trudi rimase ferma, colta di sorpresa. Poi lanciò un ultimo grido di sfida: «Anna e Max non possono giocare!» e trotterellò dietro agli altri sulle corte gambette.

Anna e Max rimasero dov'erano.

«Perché non possiamo giocare con loro?» chiese Anna, ma neanche Max lo sapeva. Non restava che tornarsene in sala, dove la mamma e il babbo stavano finendo di fare colazione.

«Credevo che steste giocando con Franz e Vreneli» disse la mamma.

Max spiegò cos'era successo.

«È molto strano» osservò la mamma.

«Forse potresti parlare con la madre» disse Anna. Aveva visto in quel momento la signora tedesca seduta a una tavola in un angolo con un uomo che doveva essere suo marito.

«Lo farò certamente» rispose la mamma.

Proprio in quel momento la signora tedesca e suo marito stavano alzandosi per uscire e la mamma andò loro incontro. Erano troppo lontani perché Anna potesse capire quel che dicevano, ma la mamma aveva detto poche parole quando la signora tedesca rispose qualcosa che fece montare la mamma su tutte le furie. La signora aggiunse qualcosa e fece per andarsene, ma la mamma l'afferrò per il braccio.

«Oh, no, no!» gridò la mamma così forte che la voce risuonò in tutta la sala. «Non finisce per niente qui!» Quindi girò i tacchi e tornò alla tavola, mentre la signora tedesca e il marito uscivano, guardando in basso, con la faccia tirata.

«Ti sei fatta sentire da tutti» disse il babbo contrariato, quando la mamma si sedette. Odiava le scene.

«Accidenti!» rispose la mamma, con un tono di voce così alto che il babbo la zittì con un *ssst!*, esortandola alla calma con un gesto della mano.

Nel tentativo di calmarsi, la mamma si arrabbiava ancora di più e a fatica riusciva a spicciare qualche parola.

«Sono nazisti» disse alla fine. «Hanno proibito ai loro bambini di giocare con i nostri, perché sono ebrei!» Alzò indignata la voce. «E pretendi che parli piano!» urlò così forte che una vecchia signora, che stava finendo di fare colazione, sobbalzò e quasi rovesciò il caffè.

Il babbo strinse le labbra. «Non mi sognerei neanche di permettere ad Anna e Max di giocare con i figli di nazisti» disse, «quindi non ci sono problemi.»

«Ma cosa faranno Vreneli e Franz?» chiese Max. «Vuol dire che se giocano con i bambini tedeschi non possono giocare con noi.»

«Penso che Vreneli e Franz dovranno scegliere chi sono i loro amici» disse il babbo. «Va bene la neutralità svizzera, ma fino a un certo punto.» Si alzò da tavola. «Vado subito a parlarne col padre.»

Poco dopo il babbo tornò. Aveva detto al signor Zwirn che i suoi figli dovevano decidere se preferivano giocare con Anna e Max oppure con gli ospiti tedeschi. Non potevano giocare con entrambi. Il babbo gli aveva anche detto di non rispondere subito, ma di rimandare la decisione alla sera.

«Io dico che sceglieranno noi» disse Max. «Dopo tutto noi staremo qui anche dopo che gli altri bambini se ne saranno andati.»

Ma per tutto il resto del giorno era difficile combinare qualcosa. Max andò verso il lago con la canna da pesca, i vermi e i pezzetti di pane. Anna non riusciva a fare niente. Alla fine decise di scrivere una poesia su una valanga che seppelliva un'intera città, ma non le riuscì molto bene. Quando fece per illustrarla, si stancò talmente all'idea di tutto quel bianco che smise. Max, come al solito, non prese neanche un pesce e verso la metà del pomeriggio erano così depressi che la mamma diede loro mezzo franco per comprarsi del cioccolato… Anche se, prima, aveva detto che costava troppo.

Tornando dalla pasticceria, scorsero Vreneli e Franz che parlavano concitatamente all'ingresso della pensione e tirarono diritto imbarazzati, senza guardarli.

Questo li fece sentire ancora peggio.

Poi Max tornò a pescare e Anna decise di andare a fare il bagno, tanto per fare qualcosa quel giorno. Nuotò sul dorso, come aveva appena imparato a fare, ma neanche questo servì a rallegrarla.

Sembrava tutto così sciocco. Perché lei, Max, gli Zwirn e i ragazzi tedeschi non potevano giocare tutti insieme? Perché tutta questa storia delle decisioni da prendere, delle parti da scegliere? Improvvisamente sentì un movimento nell'acqua dietro di sé. Era Vreneli. Aveva le treccine arrotolate in cima alla testa per non bagnarle e la faccina lunga e sottile più rossa e preoccupata che mai.

«Mi dispiace per stamattina» disse Vreneli senza fiato. «Abbiamo deciso di giocare con voi, anche se questo vuol dire che non potremo più giocare con Siegfried e Gudrun.»

In quel momento apparì Franz sulla sponda.

«Salve, Max!» gridò. «Si divertono i vermi a nuotare?»

«Proprio adesso che stava per abboccare un pesce grosso così...» rispose Max. «L'avrei preso se tu non l'avessi fatto scappare.» Ma si vedeva che era contento lo stesso.

A cena, quella sera Anna vide i bambini tedeschi per l'ultima volta. Erano rigidamente seduti a tavola con i loro genitori. La madre continuava a parlare a voce bassa e insistentemente e neppure il ragazzo si volse a guardare Anna e Max. Alla fine del pasto, passò vicino alla loro tavola, come se non li vedesse neanche.

La mattina dopo partì tutta la famiglia.

«Ho paura che abbiamo fatto perdere dei clienti al signor Zwirn» osservò il babbo.

La mamma era trionfante.

«È proprio un peccato» disse Anna. «Sono sicura che al ragazzo eravamo simpatici.»

Max scosse il capo. «Alla fine non gli piacevamo più, dopo tutto quello che sua madre gli deve aver detto di noi.»

Era vero, pensò Anna. Chissà cosa pensava adesso il ragazzo tedesco, cosa gli aveva detto sua mamma di lei e di Max. E lui, da grande, come sarebbe diventato?

Capitolo dieci

Poco prima della fine delle vacanze d'estate, il babbo andò a Parigi. C'erano tanti profughi tedeschi che vivevano lì adesso, e avevano fondato un loro giornale. Si chiamava *Daily Parisian* e vi erano stati pubblicati alcuni articoli che il babbo aveva scritto a Zurigo. L'editore però voleva che collaborasse più regolarmente e il babbo pensava che, se tutto andava bene, avrebbero potuto andare ad abitare a Parigi.

Il giorno dopo la sua partenza arrivò Omama, la nonna, che veniva a trovarli dalla Francia meridionale.

«Che buffo!» osservò Anna. «Forse Omama è passata col treno vicino a quello del babbo. Avrebbero potuto salutarsi!»

«Neanche per sogno!» rispose Max. «Non si possono soffrire.»

«Perché?» chiese Anna. Adesso che ci pensava, era vero: la nonna veniva a trovarli soltanto quando il babbo non c'era.

«Una di quelle storie di famiglia» disse Max,

con un tono di voce che voleva essere da grande, irritante. «Non voleva che la mamma e il babbo si sposassero.»

«Be', adesso è un po' tardi per impedirglielo!» disse Anna con una risatina.

Anna era fuori a giocare con Vreneli quando arrivò Omama; si accorse subito che era arrivata dall'abbaiare isterico che proveniva da una finestra aperta della pensione. Omama non faceva mai un passo senza Pumpel, il suo bassotto tedesco. Seguendo quel baccano, trovò la nonna con la mamma.

«Mia cara Anna!» gridò Omama. «Che bello rivederti!» e strinse Anna contro il suo petto robusto. Dopo un momento, Anna pensò che l'abbraccio era finito e cercò di divincolarsi, ma Omama non mollò la presa e la tenne abbracciata ancora un po'. Anna si ricordò che la nonna faceva sempre così.

«È tanto tempo che non ti vedo!» gridò Omama. «Che orribile uomo Hitler…!» I suoi occhi, che erano azzurri come quelli della mamma ma più chiari, si riempirono di lacrime e i menti – che erano due – tremarono leggermente. Era difficile capire bene cosa stesse dicendo, per via del rumore che faceva Pumpel. In mezzo all'abbaiare furioso affioravano qua e là soltanto delle frasi del tipo «strappati dalle nostre case» e «famiglie spezzate».

«Cos'ha Pumpel?» chiese Anna.

«Oh, Pumpel, povero Pumpel! Guardalo!» gridò Omama.

E infatti Anna lo guardava. Il suo comportamento era molto strano. Aveva la parte posteriore marrone diritta in aria e continuava ad abbassare la testa sulle zampe anteriori, come se si inchinasse. Tra un inchino e l'altro guardava con aria implorante qualcosa sopra il lavandino di Omama. Poiché Pumpel aveva lo stesso corpo tondo e grasso della nonna, quei movimenti erano molto difficili per lui.

«Cosa vuole?» chiese Anna.

«Sta pregando» rispose Omama. «Non è un tesoro? Sta pregando per avere quella lampadina elettrica. Oh, ma Pumpel, amore mio, non posso dartela!»

Anna guardò. Sopra il lavandino c'era una delle solite lampadine, rotonda, bianca. Sembrava una cosa abbastanza strana da desiderare, anche se si trattava di Pumpel.

«Perché la vuole?» chiese.

«Ecco, naturalmente lui non capisce che si tratta di una lampadina» spiegò Omama pazientemente. «Crede che sia una palla da tennis e vuole che gliela tiri.»

Pumpel, rendendosi conto che le sue necessità erano finalmente prese seriamente in considerazione, si inchinava e abbaiava con raddoppiata energia. Anna si mise a ridere.

«Povero Pumpel!» esclamò e fece per accarezzarlo, ma lui subito cercò di azzannarle la mano con quegli orribili denti gialli. La ritrasse in tempo.

«Potremmo svitare la lampadina» suggerì la mamma e ci provò, ma era incastrata e non girava.

«Forse, se avessimo una vera palla da tennis...» disse Omama, cercando il borsellino. «Anna, cara, ti dispiace? Penso che i negozi saranno ancora aperti.»

«Le palle da tennis sono care» osservò Anna. Una volta voleva comprarne una con i suoi risparmi, ma i soldi non le erano bastati.

«Non importa» rispose Omama. «Non posso lasciare Pumpel in questo stato... è esausto.»

Ma quando Anna tornò, Pumpel aveva perso ogni interesse nella faccenda. Ringhiava, sdraiato sul pavimento, e quando Anna gli mise in fretta la palla tra le zampe, lui le gettò un'occhiata di estremo disgusto e vi affondò i denti fino in fondo. La palla da tennis con un leggero sibilo si sgonfiò. Allora Pumpel si tirò su, grattò un paio di volte il pavimento con le zampe posteriori e si ritirò sotto il letto.

«È veramente un cane terribile» commentò più tardi Anna con Max.

«Non so proprio come fa Omama a sopportarlo.»

«Vorrei avere i soldi della palla da tennis» disse Max. «Ci servirebbero per la fiera.»

A breve ci sarebbe stata la fiera in paese: un avvenimento che ogni anno elettrizzava i bambini del luogo. Franz e Vreneli mettevano da parte i soldi da mesi. Anna e Max l'avevano saputo soltanto adesso e siccome non avevano nessun risparmio da parte, non sapevano come fare. I pochi spiccioli che avevano messo insieme sarebbero bastati solo per un giro sulla giostra: il che, secondo Anna, era peggio che niente.

Aveva pensato di chiedere i soldi alla mamma. Era stato il primo giorno in cui era tornata a scuola e tutti non facevano che parlare della fiera e dei soldi che avrebbero avuto da spendere. Però Max le aveva ricordato che la mamma cercava di fare grande economia. Se andavano ad abitare a Parigi, dovevano risparmiare fino all'ultimo centesi-

mo per il trasloco. Intanto Pumpel, benché non fosse certo adorabile, rendeva la vita molto più interessante.

Era del tutto privo di buon senso. Persino Omama, che pure era abituata ai suoi modi, era sorpresa. Una volta lo portò sul battello e immediatamente lui si arrampicò sul parapetto e a fatica riuscirono a trattenerlo dal gettarsi giù. Un'altra volta la nonna voleva andare a Zurigo e cercò di metterlo sul treno, ma lui rifiutò categoricamente di salire. Però, non appena il treno uscì dalla stazione, lasciando Omama e Pumpel sulla banchina, lui strappò il guinzaglio e si lanciò a inseguirlo sui binari, abbaiando come un forsennato, fino al paese vicino. Un bambino lo riportò indietro un'ora dopo, esausto, e dovette riposare tutto il resto della giornata per rimettersi.

«Credi che abbia qualche guaio con gli occhi?» chiese Omama.

«Sciocchezze» rispose la mamma, che aveva preoccupazioni ben più importanti, per esempio come andare a Parigi senza un soldo. «Comunque, anche se fosse, non puoi certo comprargli un paio di occhiali!»

Era un peccato, perché Omama, pur essendo sciocca nei riguardi di Pumpel, era però molto gentile. Era anche lei una profuga, ma suo marito non era noto come il babbo, così avevano potuto trasferire tutti i loro averi fuori della Germania e adesso vivevano in modo confortevole sul Mediterraneo. Al contrario della mamma, non era costretta a fare economia e spesso si concedeva quello che la mamma di solito non poteva permettersi.

«Dici che non possiamo chiedere a Omama di darci qualche soldo per la fiera?» propose Anna un giorno, dopo che Omama aveva fatto fare una scorpacciata di dolci, in pasticceria, a tutti e due.

Max era indignato. «Neanche per idea, Anna!» tagliò corto.

Anna sapeva che non era possibile, ma era tentata di farlo. Mancava soltanto una settimana alla fiera. Alcuni giorni prima della partenza di Omama per la Francia del sud, Pumpel scomparve. La mattina presto era scappato dalla camera della nonna e lei non se ne era data pensiero. Spesso usciva per un giretto intorno al lago e di solito tornava presto da solo. Ma all'ora di colazione non era ancora rientrato e la nonna cominciò a chiedere alla gente se l'avessero visto.

«Cosa mai avrà combinato adesso?» si domandò il signor Zwirn. Non gli piaceva Pumpel perché dava noia agli altri clienti, masticava ogni cosa e aveva tentato due volte di mordere Trudi.

«Qualche volta si comporta come un cucciolo» osservò teneramente Omama, sebbene Pumpel avesse già nove anni.

«Direi che è la sua seconda infanzia» ribatté il signor Zwirn.

I bambini lo cercarono un po' senza entusiasmo, ma era quasi ora di andare a scuola ed erano sicuri che prima o poi sarebbe tornato, magari accompagnato da una vittima infuriata perché era sua abitudine mordere qualcuno o qualcosa. Vreneli passò a prendere Anna e insieme andarono a scuola e Anna ben presto si dimenticò di Pumpel. Quando tornarono a casa all'ora di pranzo, incontrarono Trudi che si dava un'aria di grande importanza.

«Hanno trovato il cane di tua nonna» disse. «È annegato.»

«Sciocchezze!» esclamò Vreneli. «Te lo stai inventando.»

«Non invento un bel niente» replicò Trudi, offesa. «È vero... Papà l'ha trovato in fondo al lago. L'ho visto io con i miei occhi, è proprio morto. L'ho capito subito, perché questa volta non ha cercato di mordermi.»

La mamma confermò quanto aveva detto Trudi. Avevano trovato Pumpel ai piedi di un muretto, nel lago. Nessuno capì come c'era arrivato... se era saltato giù in un impeto di pazzia o se aveva scambiato un sasso nell'acqua per una palla da tennis. Il signor Zwirn avanzò l'idea che si fosse suicidato.

«Ho sentito dire che certe volte i cani lo fanno, quando non servono più a se stessi o agli altri» disse.

La povera Omama era terribilmente sconvolta. Non scese a pranzo e comparve soltanto nel pomeriggio, silenziosa e con gli occhi rossi, per il funerale di Pumpel. Il signor Zwirn scavò una piccola fossa in un angolo del giardino. Omama l'aveva avvolto in un vecchio scialle e tutti i bambini le stavano attorno mentre lo deponeva nella sua ultima dimora. Poi, sotto la direzione di Omama, ciascuno gli tirò sopra una palettata di terra. Il signor Zwirn gettò rapidamente con un colpo solo altra terra su quel mucchio, la livellò con la pala e fece un piccolo tumulo.

«Avanti con la decorazione» disse il signor Zwirn, e Omama piangendo depositò sulla terra un vaso con dentro un grosso crisantemo. Trudi la guardava con approvazione.

«Adesso il tuo cagnetto non potrà più uscire!» disse, ovviamente soddisfatta.

Questo era troppo per Omama e, davanti ai bambini imbarazzati, scoppiò a piangere; il signor Zwirn dovette accompagnarla via. Il resto della giornata fu noioso. A nessuno in verità, eccetto a Omama, importava granché del povero Pumpel, ma tutti sentivano che per rispetto a lei non dovevano apparire troppo allegri. Dopo cena, Max andò a fare i compiti, mentre Anna e la mamma restarono a fare compagnia alla nonna.

Questa durante il giorno non aveva detto neanche una parola, ma adesso improvvisamente non smetteva di parlare. E dai e dai con Pumpel e tutto quello che era solito fare.

Come poteva affrontare il viaggio di ritorno nel-

la Francia meridionale senza di lui? Le aveva fatto
buona compagnia in treno. Aveva anche il suo biglietto di ritorno... lo fece esaminare a entrambe.

Era tutta colpa dei nazisti, gridava Omama. Se
Pumpel non avesse dovuto lasciare Berlino, non
sarebbe affogato nel lago di Zurigo. Che uomo orribile era Hitler!...

Dopo di che la mamma piano piano fece scivolare il discorso sulla solita lista di persone che
erano fuggite in paesi diversi oppure erano rima-
ste in Germania, e Anna si mise a leggere, ma il
libro non era molto interessante e di tanto in tanto brani di conversazione si inserivano nella lettura.

Qualcuno aveva trovato da lavorare nel cinema, in Inghilterra. Un altro che prima era ricchis-
simo adesso non aveva di che vivere in America e
la moglie era costretta a fare la cameriera. Un famoso professore era stato arrestato e mandato in
campo di concentramento. (Campo di concentramento? Poi Anna ricordò che era una prigione
speciale dove mandavano quelli che non la pensavano come Hitler.) I nazisti l'avevano legato alla
cuccia del cane. Che cosa sciocca, pensava Anna,
mentre Omama, che pareva vedere qualche con-
nessione tra questo e la morte di Pumpel, chiacchierava sempre più eccitata. La cuccia del cane
era posta all'ingresso del campo di concentramento e tutte le volte che qualcuno entrava o
usciva il famoso professore doveva abbaiare. Gli

davano da mangiare dei rimasugli nella scodella dei cani e non doveva toccarli con le mani.

Improvvisamente ad Anna venne la nausea. La notte il professore doveva dormire nella cuccia. La catena era corta tanto che non poteva neanche alzarsi in piedi. Dopo due mesi – due mesi...! pensò Anna – il famoso professore era impazzito. Era ancora incatenato alla cuccia del cane e doveva abbaiare, ma non si rendeva più conto di cosa faceva.

Improvvisamente un muro nero si sollevò davanti agli occhi di Anna. Non riusciva a respirare. Afferrò il libro davanti a sé e fece finta di leggere. Avrebbe voluto non avere sentito quello che aveva raccontato Omama, liberarsene, vomitare.

La mamma doveva avere capito qualcosa, perché improvvisamente smisero di parlare e Anna sentì che la mamma la guardava. Continuò a tenere lo sguardo forzatamente fisso sul libro e voltò una pagina, fingendosi assorta nella lettura. Non voleva che la mamma e in particolare la nonna le rivolgessero la parola in quel momento. Subito dopo la conversazione riprese. Questa volta stava parlando la mamma, non dei campi di concentramento, ma di quanto era stato freddo nell'ultimo periodo.

«Ti piace il libro, cara?» chiese Omama.

«Sì, grazie» rispose Anna, cercando di parlare con un tono di voce normale.

Non appena le fu possibile, andò a letto. Avrebbe voluto raccontare a Max quello che aveva sentito, ma non riusciva a parlarne. Era meglio non pensarci neanche. In futuro avrebbe cercato di non pensare affatto alla Germania.

La mattina dopo Omama fece i bagagli. Non ce la faceva più a rimanere, adesso che Pumpel se n'era andato. Ma la sua visita comunque diede i suoi frutti. Prima di partire, la nonna diede una busta ad Anna e Max. C'era scritto "Un regalo da Pumpel" e quando l'aprirono vi trovarono poco più di undici franchi svizzeri.

«Voglio che adoperiate questi soldi per qualcosa che vi piaccia» disse Omama.

«Cos'è?» chiese Max, sopraffatto da tanta generosità.

«È il biglietto di ritorno in Francia di Pumpel» spiegò la nonna con le lacrime agli occhi. «Mi hanno restituito i soldi.»

Così Anna e Max, dopo tutto, ebbero i soldi per andare alla fiera.

Capitolo undici

Il babbo tornò da Parigi di domenica, così Anna e Max gli andarono incontro a Zurigo con la mamma. Erano i primi d'ottobre e la giornata era fredda e limpida. Mentre ritornavano tutti insieme sul battello, videro che era caduta un po' di neve sulle montagne.

Il babbo era molto allegro. Gli era piaciuto stare a Parigi. Sebbene per risparmiare alloggiasse in un modestissimo albergo, aveva mangiato delle cose deliziose e bevuto ottimo vino in quantità. Tutto era a buon mercato in Francia.

L'editore del *Daily Parisian* era stato gentilissimo e il babbo aveva anche parlato con gli editori di parecchi giornali francesi. Volevano che scrivesse per loro.

«In francese?» chiese Anna.

«Certo» rispose il babbo. Quando era piccolo, aveva una governante francese e adesso parlava quella lingua come il tedesco.

«Allora andremo tutti a Parigi?» chiese Max.

«Prima dobbiamo parlarne io e la mamma»

disse il babbo. Ma era chiaro che ci sarebbero andati.

«Che bello!» esclamò Anna.

«Non abbiamo ancora deciso niente» ribatté la mamma. «Ci sono delle possibilità anche a Londra.»

«Ma là è umido» osservò Anna.

La mamma si arrabbiò. «Sciocchezze!» disse. «Cosa vuoi saperne tu?»

Il guaio era che la mamma conosceva poco il francese, perché lei, da piccola, aveva imparato dalla governante l'inglese, e poi le si era così affezionata che aveva sempre desiderato visitare il suo paese.

«Ne parleremo poi» disse il babbo. E raccontò della gente che aveva incontrato: vecchie conoscenze di Berlino, scrittori, attori o scienziati che adesso in Francia cercavano di guadagnarsi da vivere.

«Una mattina mi sono imbattuto in quell'attore; ti ricordi di Blumenthal?» chiese il babbo e la mamma capì subito di chi parlava. «Ha aperto una pasticceria. La moglie prepara i dolci e lui li vende al banco. L'ho incontrato mentre portava uno strudel di mele a un cliente importante.» Il babbo sorrise. «L'ultima volta che l'ho visto, era ospite d'onore all'Opera di Berlino.»

Aveva anche conosciuto un giornalista francese e sua moglie, che l'avevano invitato spesso a casa loro.

«Sono persone simpaticissime» continuò il babbo «e hanno una figlia dell'età di Anna. Se andiamo ad abitare a Parigi, sono sicuro che ti piaceranno moltissimo.»

«Sì» disse la mamma, ma non pareva molto convinta.

Per una settimana o due la mamma e il babbo parlarono di Parigi.

Il babbo era dell'idea che là c'era lavoro per lui e inoltre era un posto meraviglioso per abitare. La mamma, che a malapena conosceva Parigi, faceva delle considerazioni di ordine pratico, come l'istruzione dei ragazzi e che tipo di casa avrebbero trovato, cose a cui il babbo non aveva affatto pensato. Alla fine decisero che lei doveva tornare a Parigi con il babbo per dare un'occhiata. Dopo tutto, era una decisione molto importante.

«E noi?» chiese Max.

Lui e Anna erano seduti sul letto nella camera dei genitori, dove si erano riuniti per discutere. La mamma era seduta sull'unica sedia e il babbo era elegantemente appollaiato su una valigia capovolta. Stavano un po' stretti, ma sempre più tranquilli che dabbasso.

«Mi pare che siate grandi abbastanza per stare soli qualche settimana» disse la mamma.

«Vuoi dire che ci lascerai da soli?» chiese Anna. Le sembrava una cosa incredibile.

«Perché no?» continuò la mamma. «La signora Zwirn vi darà un'occhiata: controllerà che i vostri vestiti siano puliti e che andiate a letto all'ora giusta. Per il resto, credo che possiate arrangiarvi.»

Così fu deciso. Anna e Max dovevano mandare tutti i giorni una cartolina ai genitori, per far sapere che tutto andava bene, la mamma e il babbo avrebbero fatto lo stesso. La mamma raccomandò che si lavassero il collo e ricordassero di mettersi i calzini puliti. Il babbo aveva qualcosa di più importante da dire loro.

«Ricordatevi che mentre io e la mamma siamo a Parigi, voi siete gli unici rappresentanti della nostra famiglia in Svizzera» disse. «È una grande responsabilità.»

«Perché?» chiese Anna. «Che dobbiamo fare?»

Una volta, allo zoo di Berlino con lo zio Julius, aveva visto un piccolo essere dall'aspetto di un topo con un cartello sulla gabbia che avvertiva che era l'unico rappresentante della sua specie in Germania.

Si augurava che nessuno venisse a guardare a quel modo lei e Max. Ma non era affatto quello che intendeva il babbo.

«Ci sono ebrei sparsi dappertutto nel mondo» continuò «e i nazisti stanno raccontando un sacco di bugie terribili sul loro conto. È quindi molto importante che gente come noi dia prova del contrario.»

«In che modo?» chiese Max.

«Dimostrando di essere migliori di altre persone» spiegò il babbo. «Per esempio, i nazisti dicono che gli ebrei sono disonesti. Così non basta essere onesti come gli altri. Dobbiamo esserlo di più.»

(Anna immediatamente si sentì colpevole, ricordando l'ultima volta che aveva comprato una matita a Berlino. Il cartolaio le aveva fatto pagare un po' meno e Anna non gli aveva fatto notare lo sbaglio. E se i nazisti erano venuti a saperlo?)

«Dobbiamo lavorare più degli altri» disse il babbo «per dimostrare che non siamo pigri, dobbiamo essere più generosi per dimostrare che non siamo meschini, più educati per far vedere che non siamo rozzi.»

Max annuì.

«Può sembrare di chiedere troppo» continuò il babbo, «ma io credo che valga la pena, perché gli ebrei sono un popolo meraviglioso ed è bellissimo farne parte. E quando io e la mamma torneremo, sono sicuro che saremo orgogliosi di come ci avete rappresentato in Svizzera.»

Era buffo, pensò Anna. Di solito non poteva sopportare che le raccomandassero di essere superbrava, ma questa volta non le importava davvero. Non si era mai accorta prima che fosse così importante essere ebrei. Decise in segreto che mentre la mamma era via si sarebbe lavata tutti i giorni il collo col sapone, così almeno i nazisti non potevano dire che gli ebrei avevano il collo sporco.

Però, quando la mamma e il babbo partirono veramente per Parigi, non si sentì per niente importante, soltanto piccola e abbandonata. Cercò di non piangere mentre il treno si allontanava dalla stazione locale, ma quando tornò lentamente alla pensione insieme a Max, ebbe la sensazione di essere troppo piccola per restare in un paese mentre i suoi genitori partivano per un altro.

«Dai, ometto!» disse d'un tratto Max «su con la vita!» ed era così buffo che le dicesse "ometto", proprio come certe persone a volte chiamavano Max, che si mise a ridere. Dopo le cose andarono meglio. La signora Zwirn le aveva preparato il suo pranzo preferito ed era grandioso per lei e Max mangiare in sala seduti a una tavola tutta per loro.

Nel pomeriggio Vreneli venne a chiamarla per andare a scuola e all'uscita lei e Max giocarono con gli Zwirn, come al solito. Quando fu ora di andare a letto, e lei temeva fosse il momento peggiore, si divertì molto, perché la signora Zwirn andò in camera loro e raccontò delle storie buffe di gente che era stata in pensione. Il giorno dopo, scrissero un'allegra cartolina al babbo e alla mamma e la mattina seguente ne arrivò una da loro da Parigi.

Dopodiché le giornate trascorsero rapidamente. Le cartoline erano di grande aiuto. Ogni giorno scrivevano ai genitori, oppure ricevevano posta da loro, e questo dava l'impressione che la mamma e il babbo non fossero così lontani. Una domenica Anna, Max e i tre ragazzi Zwirn andarono nel bosco a raccogliere castagne. Ne riportarono grossi panieri pieni e la signora Zwirn le fece cuocere in forno. Poi a cena le mangiarono tutti insieme nella cucina degli Zwirn, spalmate di burro. Erano deliziose.

Due settimane dopo che la mamma e il babbo erano partiti, il maestro Graupe portò la classe di Anna a fare una gita in montagna. Passarono una notte sui monti, dormendo sulla paglia in una capanna di legno e al mattino il maestro Graupe li svegliò prima che fosse giorno. Li condusse in alto sulla montagna lungo un sentierino e improvvisamente Anna sentì che la terra sotto i suoi piedi era diventata fredda e umida. Era neve.

«Vreneli, guarda!» gridò e mentre la guardavano, la neve, che al buio era grigia, improvvisamente scintillò di rosa. Era successo molto rapidamente e ben presto un roseo splendore si diffuse su tutte le montagne.

Anna guardò Vreneli. Il suo maglione azzurro era diventato color porpora, la faccia scarlatta e anche le treccine color topo mandavano riflessi arancione. Anche gli altri ragazzi apparivano trasformati. Persino la barba del maestro Graupe era diventata rosa. E dietro di loro c'era un'enorme distesa di neve rosa acceso e di cielo rosa più pallido. Pian piano il rosa si scolorì un po' e la luce diventò più splendente, il mondo rosato che faceva da sfondo a Vreneli e al resto si divise in cielo azzurro e neve bianca abbagliante, ed ecco che si fece giorno.

«Avete assistito al sorgere del sole sulle montagne svizzere: lo spettacolo più bello del mondo» disse il maestro Graupe, come se fosse stata opera sua. Quindi li fece marciare di nuovo giù.

Era una lunga camminata e Anna cominciò a sentirsi stanca molto prima di arrivare in fondo. Al ritorno in treno dormicchiava e avrebbe voluto che la mamma e il babbo fossero lì ad aspettarla per raccontare loro la sua avventura. Ma forse presto avrebbero annunciato il loro ritorno. La mamma aveva promesso che sarebbero stati via al massimo tre settimane e ne erano già passate più di due.

Fecero ritorno alla pensione ch'era già sera. Max aveva aspettato ad impostare la solita cartolina e, stanca come era, Anna scrisse fitto fitto per raccontare il più possibile della gita. Poi, sebbene fossero soltanto le sette, andò a letto. Sulle scale incontrò Franz e Vreneli che parlottavano sottovoce nel corridoio. Quando la videro, smisero di colpo.

«Cosa stavate dicendo?» domandò Anna, avendo afferrato il nome del padre e qualcosa dei nazisti.

«Niente» rispose Vreneli.

«Non è vero, vi ho sentito» insistette Anna.

«Papà ha detto che non dobbiamo dirtelo» ammise Vreneli con aria infelice.

«Per paura di spaventarti» intervenne Franz. «Ma era sul giornale. I nazisti hanno messo una taglia sulla testa di tuo padre.»

«Una taglia sulla sua testa?» chiese stupita Anna.

«Sì» continuò Franz. «Un migliaio di marchi tedeschi. Papà dice che questo vuol dire che tuo padre è molto importante. C'era la sua foto e tutto.»

Come si fa a mettere mille marchi sulla testa di una persona? Era sciocco. Decise di chiederlo a Max quando sarebbe salito in camera, ma si addormentò molto prima. Nel cuore della notte, Anna si svegliò. D'improvviso, come a un segnale, fu completamente sveglia. E come se non avesse fatto altro che pensarci tutta la notte, di colpo capì con spaventosa lucidità come si fa a mettere un migliaio di marchi sulla testa di una persona.

Nella mente vide una stanza. Aveva un aspetto strano, perché era in Francia e il soffitto, invece di essere liscio, era un ammasso di travi incrociate. Nelle fessure tra l'una e l'altra, qualcosa si muoveva. Era buio, ma adesso la porta si apriva e si accendeva la luce.

Il babbo stava andando a letto. Fece qualche passo verso il centro della stanza – «No!» voleva gridare Anna – e allora cominciò la terribile pioggia di pesanti monete. Cadeva dal soffitto sulla testa del babbo. Lui cadde sulle ginocchia sotto quel peso e le monete continuarono a cadere a cadere, finché rimase completamente seppellito.

Era questo che il signor Zwirn non voleva che lei sapesse. Era questo che i nazisti volevano fare al babbo. O forse, dal momento che era sul giornale, l'avevano già fatto. Rimase a letto con gli occhi spalancati nel buio, e si sentiva male dalla paura. Dall'altro letto arrivava il respiro tranquillo e regolare di Max. Doveva svegliarlo? Ma Max non sopportava di essere disturbato di notte; si sarebbe arrabbiato e avrebbe detto che erano tutte sciocchezze.

E forse erano tutte sciocchezze, pensò Anna, e si sentì improvvisamente sollevata. Forse al mattino l'avrebbe vista come una di quelle sciocche paure notturne che l'avevano spaventata quando era più piccola, quando pensava che la casa era in fiamme o che il suo cuore aveva cessato di battere. La mattina sarebbe arrivata la solita cartolina dal babbo e dalla mamma e tutto sarebbe stato normale.

Sì, ma questo non era qualcosa che lei aveva immaginato: era sui giornali... I pensieri le rimbalzavano in testa. Un momento preparava piani complicati per alzarsi, prendere un treno per Parigi e avvertire il babbo. Subito dopo pensava alla figura che avrebbe fatto se la signora Zwirn l'avesse scoperta mentre scappava.

Alla fine doveva essersi addormentata, perché improvvisamente era giorno e Max era già vestito. Restò a letto per qualche momento, sentendosi molto stanca, e lasciò che i pensieri della notte scivolassero indietro. Dopotutto, adesso che era mattina, parevano irreali.

«Max?» cercò di parlargli.

Max aveva un libro di scuola aperto sul tavolino accanto e lo leggeva mentre si infilava calze e scarpe. «Mi dispiace» rispose Max. «Oggi ho un compito in classe di latino e non ho ancora ripassato.»

Tornò al suo libro, borbottando coniugazioni di verbi. Non importava, pensò Anna. Era sicura che tutto andava bene. Ma all'ora di colazione non c'era la cartolina dei genitori. «Cosa pensi? Perché non è arrivata?» chiese a Max.

«Ritardo della posta» borbottò indistintamente Max con la bocca piena di pane. «Ciao!» e corse a prendere il treno.

«Arriverà questo pomeriggio» disse il signor Zwirn.

Tutto il giorno a scuola continuò a essere preoccupata e stette a masticare la penna invece di descrivere il sorgere del sole in montagna.

«Cosa ti succede?» domandò il maestro Graupe. (Di solito il suo tema era il migliore della classe.) «Era uno spettacolo magnifico. Avresti dovuto farti ispirare!» E si allontanò, personalmente offeso per la mancanza di partecipazione alla "sua" alba.

Quando Anna tornò da scuola non c'era nessuna cartolina e neanche la sera, con l'ultima posta delle sette. Era la prima volta che la mamma e il babbo non scrivevano. Mentre cenava, Anna riuscì a pensare con calma ai ritardi della posta, ma una volta che fu a letto con la luce spenta, l'incubo della notte precedente l'assalì di nuovo con tanta forza che quasi la soffocò.

Cercò di ricordarsi che era un'ebrea e non doveva avere paura, altrimenti i nazisti avrebbero detto che tutti gli ebrei erano vigliacchi, ma non c'era verso. Continuava a vedere quella stanza con lo strano soffitto e la terribile pioggia di monete che cadeva sulla testa del babbo. Anche se chiudeva gli occhi e affondava il viso nel cuscino, continuava a vederla. Forse aveva fatto rumore rigirandosi nel letto, perché Max d'un tratto domandò: «Cosa c'è?»

«Niente» rispose Anna, ma mentre parlava, sentì qualcosa che le esplodeva dentro, che saliva dallo stomaco alla gola e improvvisamente stava singhiozzando: «Babbo… babbo…», e Max era seduto accanto a lei sul letto e le toccava gentilmente un braccio.

«Quanto sei scema!» disse, quando lei gli spiegò la sua paura. «Non sai cosa vuol dire mettere la taglia sulla testa di qualcuno?»

«Non… non è quello che pensavo?» domandò Anna.

«No, non è affatto quello che pensavi. Mettere la taglia sulla testa di una persona vuol dire offrire una somma a chi cattura quella persona.»

«Ecco, lo dicevo!» gemette Anna. «I nazisti cercano di prendere il babbo!»

«Be', in un certo senso, sì» rispose Max. «Ma il signor Zwirn pensa che non sia una cosa grave; dopotutto non possono fare molto dal momento che il babbo non è in Germania.»

«Tu credi che stia bene?»

«Certo che sta bene. Domattina riceveremo la cartolina.»

«Ma mettiamo che mandino qualcuno a inseguirlo a Parigi… uno che lo rapisce o qualcosa del genere?»

«In questo caso tutte le forze di polizia francesi sarebbero impegnate a proteggerlo.» E qui Max prese a parlare con quello che pensava fosse un accento francese: «Andate via, prrrego. Non possibile rrapirre in Frrrans. Noi stacchiamo testa con ghigliottina, no?» Era così buffo quando imitava qualcuno che Anna dovette ridere e Max stesso fu sorpreso del suo successo. «Sarà meglio dormire adesso» disse, ed era così stanca che ben presto si addormentò.

La mattina, invece della cartolina, ricevettero una lunga lettera. La mamma e il babbo avevano deciso di andare tutti ad abitare a Parigi e il babbo sarebbe venuto a prenderli.

«Babbo!» confessò Anna dopo che fu passato il primo momento di entusiasmo nel vederlo sano e salvo. «Babbo, ero un po' preoccupata quando ho sentito della taglia sulla tua testa.»

«Anch'io!» rispose il babbo. «Molto preoccupato.»

«Davvero?» fece Anna sorpresa. Il babbo aveva sempre dato prova di essere coraggioso.

«Be', è una taglia così piccola» spiegò il babbo. «Mille marchi non sono niente al giorno d'oggi. Mi pare di valere un po' di più, no?»

«Sì» rispose Anna e si sentì meglio.

«Nessun rapitore che si rispetti si muoverebbe per una cifra simile» continuò il babbo, scuotendo tristemente la testa. «Ho una mezza idea di scrivere a Hitler per lamentarmi!»

Capitolo dodici

La signora Zwirn preparò le valigie dei ragazzi, che a scuola salutarono compagni e insegnanti. Ed eccoli pronti a lasciare la Svizzera verso una nuova vita in Francia. Ma non era per niente come lasciare Berlino, osservò Anna, perché potevano tornare a salutare tutti alla pensione Zwirn ogni volta che volevano, anzi, il signor Zwirn li aveva già invitati per l'estate successiva.

A Parigi avrebbero abitato in un appartamento ammobiliato che la mamma era molto indaffarata a preparare. Com'era? Max lo voleva sapere. Il babbo stette un momento a pensare. Dal balcone, disse infine, si vedevano nello stesso tempo la Torre Eiffel e l'Arco di Trionfo: famosi monumenti di Parigi. Ma, oltre a questo, pareva non ricordare nient'altro.

Era un peccato, pensavano i ragazzi, che il babbo a volte fosse così vago per quanto riguardava le cose pratiche. Ma il fatto che nell'appartamento ci fosse un balcone era già una cosa meravigliosa.

Per il viaggio a Parigi ci volle tutta una giornata e per un pelo non ci arrivarono affatto. Tutto andò liscio fino a Basilea, dove dovevano cambiare treno, essendo la frontiera tra Svizzera, Francia e Germania. Però a causa di un ritardo sulla linea, vi arrivarono molto tardi e restavano pochi minuti per prendere la coincidenza per Parigi.

«Dobbiamo fare prestissimo» disse il babbo, mentre il treno entrava in stazione. Fortunatamente, c'era subito un facchino pronto. Afferrò il bagaglio e lo caricò rapidamente sul suo carrello.

«Il treno per Parigi! Svelto!» gridò il babbo e il facchino galoppò via, seguito a ruota da loro tre. Anna riusciva a malapena a tenere d'occhio il facchino, mentre correva a zigzag tra la folla, e Max e il babbo lo stavano già aiutando a mettere i bagagli sul treno, quando lei li raggiunse. Si fermò un attimo per riprendere fiato. Il treno evidentemente stava per partire perché tutti i viaggiatori si sporgevano dai finestrini per salutare parenti e amici sulla banchina. Proprio vicino a lei, c'era un giovanotto che sembrava sul punto di precipitare giù, mentre dava un ultimo abbraccio appassionato alla sua ragazza.

«Dai, spicciati!» disse finalmente la ragazza e gli diede una leggera spinta per ricacciarlo nel treno. Mentre lui si raddrizzava, si scoprì una scritta sotto il finestrino. STOCCARDA.

«Babbo!» strillò Anna. «È il treno sbagliato! Va in Germania!».

«Accidenti!» esclamò il babbo. «Tiriamo giù il bagaglio, svelti!» Lui e Max fecero rotolar giù le valigie più in fretta che poterono. Si sentì il fischio.

«Non importa!» gridò il babbo, tirando indietro Max, anche se una valigia era rimasta sul treno che partiva.

«È la nostra valigia!» urlò Max. «Per piacere, dateci la nostra valigia!» e proprio mentre il treno cominciava a muoversi, il giovanotto che prima abbracciava la ragazza, lanciò gentilmente la valigia giù sulla banchina. Atterrò ai piedi di Anna e rimasero lì, con il bagaglio sparso tutt'intorno, a guardare il treno che usciva sbuffando dalla stazione.

«Avevamo detto chiaramente il treno per Parigi!» esclamò il babbo arrabbiato, guardandosi intorno in cerca del facchino. Ma non c'era. Era sparito.

«Se fossimo saliti su quel treno» chiese Anna, «avremmo potuto scendere prima di arrivare in Germania?»

«Forse» rispose il babbo, «se ci fossimo accorti che era il treno sbagliato.» Le mise un braccio intorno alle spalle. «Sono molto contento che te ne sia accorta prima che salissimo.»

Ci volle un po' per trovare un altro facchino e il babbo ormai era sicuro di avere perso il treno in coincidenza per Parigi, invece riuscirono a prenderlo comodamente. Infatti, la sua partenza era stata rimandata in seguito al ritardo sulla linea svizzera. Era strano che il facchino di prima non l'avesse saputo. Mentre erano seduti nello scom-

partimento, in attesa che partisse il treno francese, Max domandò improvvisamente: «Babbo, credi che quel facchino ci abbia portato apposta sul
treno sbagliato?»

«Non so» rispose il babbo «potrebbe essere
stato uno sbaglio.»

«Io non credo che sia stato uno sbaglio» disse
Max. «Credo che cercasse di guadagnare i mille
marchi sulla tua testa.»

Restarono per un attimo in silenzio riflettendo,
cercando di immaginare quello che sarebbe ac-
caduto se fossero tornati in Germania. Poi si sentì
un fischio e il treno si avviò con un sobbalzo.

«Ebbene, se quel facchino voleva veramente guadagnare i mille marchi sulla mia testa, ha fatto un brutto affare. Non sono neppure riuscito a pagarlo» disse il babbo sorridendo e si appoggiò indietro sul sedile. «Grazie ad Anna, tra qualche minuto, anziché in Germania, saremo in Francia. E grazie a Max, abbiamo persino recuperato tutto il nostro bagaglio.» Alzò scherzosamente le braccia in un gesto di ammirazione. «Oh, che ragazzi in gamba ho io!»

Arrivarono a Parigi che era buio ed erano molto stanchi. Anna in treno aveva già sentito che c'era qualcosa di diverso, dopo che avevano lasciato Basilea. Molte voci che parlavano francese in fretta, con tono vivace e in maniera incomprensibile. Anche l'odore che veniva dal vagone ristorante era diverso. Ma adesso che era lì, in piedi sulla banchina di Parigi, si sentiva addirittura sopraffatta.

Intorno a lei la gente gridava, si salutava, chiacchierava, rideva. Le loro labbra si muovevano rapidamente, e le espressioni riflettevano le parole. Si agitavano, si abbracciavano, sventolavano le mani per dare maggior forza a quello che dicevano… e lei non riusciva a capire nemmeno una parola. Per un momento, avvolta nella penombra, con tutto quel rumore e il fumo che usciva dal treno, si sentì sperduta. Ma ben presto il babbo li spinse in un taxi e poco dopo correvano lungo le strade affollate. Dappertutto c'erano luci, gente che camminava su ampi marciapiedi, mangiava e beveva dietro le vetrate dei caffè, leggeva giornali, guardava le vetrine. Anna si era dimenticata che una grande città fosse così. Era sconvolta dall'altezza delle case e dal rumore.

Mentre il taxi ondeggiava e curvava in mezzo al traffico, tra automobili e autobus strani, insegne luminose che lei non capiva emergevano dal buio e sparivano di nuovo.

«Ecco la Torre Eiffel!» gridò Max, ma Anna si girò troppo tardi e non la vide. Poi girarono attorno a uno spazio enorme con in mezzo un arco inondato dalla luce dei riflettori. Dappertutto c'erano automobili e quasi tutte suonavano il clacson.

«Ecco l'Arco di Trionfo» avvertì il babbo. «Siamo quasi arrivati.» Girarono in un viale più tranquillo e quindi in una stradina stretta, e qui il taxi si fermò quasi di colpo con uno stridio di freni. Erano arrivati.

Anna e Max rimasero fuori al freddo davanti a una casa alta, mentre il babbo pagava l'autista. Poi il babbo aprì il portone e li spinse nell'entrata, dov'era seduta, mezzo addormentata, una signora, in una specie di gabbia di vetri. Non appena scorse il babbo, la signora tornò in vita. Corse fuori da quella che parve essere una porta nella gabbia e gli strinse la mano, parlando rapidamente in francese. Poi, continuando a parlare, strinse la mano ad Anna e Max i quali, non riuscendo a capire una parola, per tutta risposta sorridevano debolmente.

«È la signora portinaia» disse il babbo. «Si occupa della casa.» Arrivò l'autista del taxi e la signora portinaia lo aiutò a fare entrare le valigie in una porticina che tenne aperta anche per lasciare passare Anna e Max. I ragazzi non credevano ai loro occhi.

«Babbo!» esclamò Max. «Non ci avevi detto che c'era un ascensore!»

«È bellissimo, bellissimo!» fece eco Anna.

Il babbo si mise a ridere. «Non mi pare proprio» disse. Ma Anna e Max ne erano convinti, anche se l'ascensore scricchiolava e cigolava orribilmente mentre saliva con lentezza all'ultimo piano. Alla fine si fermò con un boato e un sussulto, e ancora prima che fossero usciti tutti fuori, una porta di fronte si spalancò e apparve la mamma.

Anna e Max le si precipitarono incontro, e tutto divenne confuso, mentre lei li abbracciava ed entrambi cercavano di raccontarle quello che era successo da quando lei era partita, e il babbo entrò con le valigie e baciò la mamma e poi la portinaia portò il resto del bagaglio e d'un tratto il piccolo ingresso era pieno zeppo di bagagli e nessuno riusciva a muoversi.

«Venite in sala» disse la mamma. Era piuttosto piccola, ma la tavola era apparecchiata per la cena e nell'insieme aveva un aspetto allegro e invitante. «Dove posso appendere il cappotto?» chiese il babbo dall'ingresso.

«C'è un gancio dietro la porta» gli rispose la mamma nel mezzo di una rumorosa descrizione di Max, di come, a momenti, prendevano il treno sbagliato. In quella si sentì un tonfo, come di qualcuno che cadeva su qualcosa. Anna sentì la voce educata del babbo che diceva: «Buona sera» e il leggero odore di bruciato che aveva sentito fin dall'arrivo diventò improvvisamente fortissimo.

Una faccia accigliata apparve sulla soglia.

«Le sue patate fritte sono diventate tutte nere» annunciò con una certa soddisfazione.

«Oh, Grete…!» gridò la mamma. Poi aggiunse: «Questa è Grete, una ragazza austriaca. È a Parigi per imparare il francese e quando non studia mi aiuta nelle faccende domestiche.»

Grete strinse tristemente le mani di Anna e Max.

«Sai parlare bene il francese?» chiese Max.

«No» rispose Grete. «È una lingua difficile. C'è della gente che non riesce mai a impararla.» Quindi si rivolse alla mamma. «Be', io filo a letto.»

«Ma Grete…» cominciò la mamma.

«Ho promesso a mia madre che, qualsiasi cosa succeda, io non perderò mai le mie ore di sonno» disse Grete. «Ho spento il gas sotto le patate. Buona notte a tutti.» E se ne andò via.

«Che roba!» esclamò la mamma. «Questa ragazza non è di nessun aiuto! Non importa, sarà bello mangiare per la prima volta a Parigi noi soli, insieme. Adesso vi faccio vedere la vostra stanza, così potete sistemarvi mentre friggo altre patate.»

Nella stanza, con le pareti dipinte di un brutto giallo, c'erano due letti con le sopraccoperte gialle. In un angolo, un armadio di legno. Alla finestra, tende gialle, una lampada gialla, due sedie; nient'altro. D'altra parte, non c'era posto per altro perché, come la sala, anche questa stanza era piccola.

«Cosa si vede fuori dalla finestra?» chiese Max.

Anna guardò. Non era una strada, come credeva, ma un cortile interno con tutt'intorno muri e finestre. Era come un pozzo. Da un rumore metallico che proveniva dal basso, capì che ci dovevano essere i bidoni della spazzatura, ma era troppo fondo per poter vedere. In alto, si vedevano i profili irregolari dei tetti e il cielo. Era molto diverso dalla pensione Zwirn e dalla loro casa di Berlino.

Tirarono fuori pigiama e spazzolino da denti, ciascuno scelse il proprio letto giallo e quindi esplorarono il resto dell'appartamento. Vicino alla loro stanza, c'era quella del babbo. C'erano un letto, una sedia, un tavolino con sopra la macchina da scrivere e la finestra che guardava sulla strada. Una porta comunicava con una stanza che pareva un salottino, ma sparsi qua e là c'erano i vestiti della mamma.

«Tu dici che è la stanza della mamma?» chiese Anna.

«No, non credo, manca il letto» rispose Max.

C'erano soltanto un divano, un tavolino e due pol-
trone. Max guardò più da vicino il divano.

«Questo è uno di quelli speciali» disse. «Guarda» e sollevò il sedile. In uno spazio interno c'erano lenzuola, coperte e cuscino. «La mamma ci
dorme di notte e di giorno può trasformare la camera in un salotto.»

«Che bello, così una stanza fa per due» osservò
Anna. Certo era importante fare il miglior uso possibile dello spazio nell'appartamento, visto che ce
n'era così poco. Anche il balcone, che era sem-
brato una cosa grandiosa quando il babbo ne aveva parlato, non era altro che una stretta sporgen-
za chiusa da una ringhiera di ferro battuto.

A parte la sala, che avevano già visto, restava
soltanto la stanzetta dove dormiva Grete, un bagno ancor più piccolo e una cucinetta quadrata,
dove trovarono il babbo e la mamma. La mamma, rossa ed eccitata, stava sbattendo qualcosa in
una scodella. Il babbo era appoggiato contro la finestra. Aveva un'aria contrariata ed evidentemente non era d'accordo su qualcosa perché i ragazzi, entrando, sentirono che diceva: «Non era
necessario darsi tanto da fare.» La cucina era piena di fumo. «Certo che era necessario!» rispose la
mamma. «Cosa vuoi che mangino i bambini?»

«Formaggio e un bicchiere di vino» disse il babbo e i ragazzi scoppiarono a ridere, mentre la
mamma gridava: «Tu manchi sempre di senso
pratico!»

«Ma allora sai cucinare» disse Anna. Non aveva mai visto sua madre in cucina prima.

«Sarà pronto tra cinque minuti» gridò la mamma, continuando a sbattere, tutta agitata. «Oh, le mie patate...!» Stavano quasi bruciando un'altra volta e fece appena in tempo a toglierle dal fuoco.

«Ho preparato patate fritte e uova strapazzate, so che vi piacciono.»

«Magnifico» disse Max.

«Dov'è il piatto...? E un po' di sale...? oh!» esclamò la mamma. «Ho ancora un sacco di patate da friggere!» Guardò il babbo con aria supplichevole. «Caro, mi passi il colino?»

«Cos'è il colino?» chiese il babbo.

Prima che fosse pronto in tavola, passò un'altra ora e alla fine Anna era così stanca che non le importava più di mangiare. Ma non voleva dirlo, perché la mamma si era data tanto da fare. Lei e Max cenarono in fretta, mezzo addormentati, e si buttarono subito a letto.

Attraverso le pareti sottili, giungeva un mormorio di voci e il rumore dei piatti. Il babbo e la mamma stavano probabilmente sparecchiando. «Sai, è buffo» disse Anna, prima di addormentarsi «ricordo che quand'eravamo a Berlino, Heimpi ci faceva spesso le patate fritte e le uova strapazzate. Diceva che era un piatto svelto e facile.»

«Forse la mamma ha bisogno di un po' di pratica» disse Max.

Capitolo tredici

Quando Anna si svegliò, la mattina seguente, era pieno giorno. Da una fessura nella tenda gialla, si vedeva sopra i tetti un pezzetto di cielo mosso dal vento. C'era odore di cibo e si udiva un suono metallico cadenzato. Dapprima Anna non riuscì a capire cosa fosse, poi si rese conto che era la macchina da scrivere del babbo nella stanza accanto. Il letto di Max era vuoto. Doveva essere sgusciato fuori mentre lei dormiva ancora. Si alzò e si diresse nell'ingresso, senza neppure vestirsi. La mamma e Grete dovevano essersi date da fare, perché le valigie non c'erano più e dalla porta aperta vide che il letto della mamma era ridiventato un divano. In quel momento la mamma arrivò dalla sala.

«Ah, eccoti qui, tesoro» disse. «Vieni a fare colazione, anche se ormai è quasi ora di pranzo.»

Max, seduto a tavola, stava bevendo il caffellatte e staccava con grande impegno dei grossi pezzi di pane da un bastone incredibilmente lungo.

«Si chiama *baguette*, che vuol dire bacchetta» spiegò la mamma, «e ci assomiglia proprio.»

Anna lo assaggiò e lo trovò delizioso. Anche il caffè era buono. Sulla tavola c'era una tovaglia d'incerata rossa che faceva sembrare molto graziosi i piatti e le tazze, e poi la stanza era calda, anche se fuori faceva freddo ed era una brutta giornata di novembre.

«Si sta bene qui» disse Anna. «Alla pensione Zwirn non avremmo potuto fare colazione in pigiama.»

«È un po' piccolo» disse la mamma, «ma ci arrangeremo.»

Max si stirò e sbadigliò. «È bello avere una casa propria.»

C'era qualcos'altro di bello. Dapprima Anna non capì cosa fosse. Guardò la mamma che versava il caffè e Max che si dondolava avanti e indietro sulla sedia, anche se gli era stato detto un centinaio di volte di non farlo. Attraverso le pareti sottili giungeva il ticchettio della macchina da scrivere del babbo. Allora capì.

«A me non importa dove stiamo» disse, «purché siamo tutti insieme.»

Il pomeriggio il babbo li portò fuori. Andarono con la metropolitana che si chiamava *métro* e aveva un odore strano. Il babbo disse che era un misto di aglio e sigarette francesi e ad Anna piacque. Videro la Torre Eiffel (ma non ci salirono, perché costava troppo) e il luogo dove era sepolto Napoleone, e infine l'Arco di Trionfo, che era vicino a casa. A questo punto era già tardi, ma Max

notò che si poteva salire e costava poco, probabilmente perché era più basso della Torre Eiffel, e
così ci andarono.

Nessuno si sognava di andare in cima all'Arco
di Trionfo in quel pomeriggio freddo e scuro e l'a-
scensore era vuoto. Quando arrivò in alto, Anna fu
investita da una raffica di vento ghiacciata e di
pioggia e si domandò se dopo tutto era stata una
buona idea salire in cima. Poi guardò giù. Era co-

me se fosse in piedi in mezzo a un'enorme stella scintillante. I raggi si allungavano in tutte le direzioni e ognuno di essi era una strada fiancheggiata di luci. Guardando meglio, vide delle lucine ed erano automobili e autobus che correvano lungo le strade e proprio sotto formavano un anello brillante che circondava l'Arco di Trionfo. Si vedeva in lontananza il profilo scuro di cupole e guglie e il punto luminoso che era la cima della Torre Eiffel.

«Non è bella?» domandò il babbo. «Non è una bella città?»

Anna guardò il babbo. Aveva perso un bottone del cappotto e il vento gli soffiava dentro, ma il babbo non pareva accorgersene.

«Bellissima» rispose Anna.

Faceva piacere tornare nell'appartamento caldo, e questa volta Grete aveva aiutato la mamma a preparare la cena e fu pronto in tempo.

«Avete imparato qualcosa di francese?» chiese la mamma.

«Certamente no» intervenne Grete, prima che avessero il tempo di rispondere. «Ci vogliono mesi.» Ma Anna e Max si rendevano conto invece di avere imparato diverse parole, soltanto ascoltando il babbo e altre persone. Sapevano dire *oui* e *non*, *merci* e *au revoir*, *bonsoir madame*, e Max era particolarmente orgoglioso del suo *trois billets s'il vous plaît*, che aveva sentito dire dal babbo, quando aveva comprato i biglietti per il *métro*.

«Bene, presto imparerete di più» disse la mamma. «Mi sono messa d'accordo con una signora che verrà a darvi lezione di francese e comincerà domani pomeriggio.»

Il nome della signora era mademoiselle Martel e la mattina seguente Anna e Max cercarono di mettere insieme tutto quello che occorreva per la lezione. Il babbo prestò loro un vecchio vocabolario di francese e la mamma trovò dei fogli per scrivere. L'unica cosa che nessuno dei due aveva erano le matite.

«Dovete andare a comprarle» disse la mamma. «C'è un negozio all'angolo della strada.»

«Ma non sappiamo parlare francese!» si lamentò Anna.

«Sciocchezze» rispose la mamma «portatevi dietro il vocabolario. Vi do un franco per uno e il resto sarà per voi.»

«Come si dice "una matita" in francese?» chiese Max.

«*Un crayon*» rispose la mamma. Non aveva un accento buono come quello del babbo, ma conosceva molti vocaboli. «Adesso andate, svelti!»

Dopo che ebbero compiuto da soli il viaggio per scendere con l'ascensore (e questa volta era toccato ad Anna schiacciare il bottone), Anna si sentì molto fiera dell'impresa e il suo coraggio non svanì neppure quando scoprì che il negozio era molto grande e vendeva più articoli per ufficio che cartoleria. Stringendo forte sotto il braccio il vocabolario, entrò nel negozio seguita da Max e disse con voce squillante: «*Bonsoir, madame!*»

Il padrone del negozio parve stupito e Max le diede una gomitata.

«Non è una *madame*, è un *monsieur*» le bisbigliò. «E mi pare che *bonsoir* voglia dire buonasera.»

«Ah!» fece Anna.

Ma l'uomo del negozio non parve dar peso all'espressione. Sorrise e disse qualcosa in francese, che loro non capirono. Sorrisero a loro volta.

Quindi Anna chiese fiduciosa: «*Un crayon*» e Max aggiunse: «*S'il vous plaît.*»

L'uomo sorrise ancora, cercò in una scatola dietro il banco e tirò fuori una bella matita rossa che porse ad Anna. Lei rimase così stupita del successo ottenuto, che dimenticò di dire: «*Merci*», e rimase lì con la matita in mano. Com'era facile!

Poi fu la volta di Max che chiese: «*Un crayon*» perché anche lui aveva bisogno di una matita.

«*Oui, oui*» disse l'uomo, sorridendo ed accennando alla matita che aveva in mano Anna: sapeva anche lui che si trattava di una matita.

«*Non*» disse Max. «*Un crayon!*» Cercava disperatamente la maniera di farsi capire. «*Un crayon*» gridò indicando se stesso. «*Un crayon.*»

Anna non ne poteva più dal ridere, perché pareva che Max si stesse presentando.

«Aaah!» esclamò l'uomo. Prese un'altra matita dalla scatola e la porse a Max con un lieve inchino.

«*Merci*» disse Max, molto sollevato. Diede all'uomo i due franchi e aspettò il resto. Ma evidentemente non c'era resto. Anna ci rimase male. Sarebbe stato bello avere qualche soldo.

«Chiediamogli se ha qualche altro tipo di matita» sussurrò. «Forse costa meno.»

«Non possiamo!» rispose Max.

«Be', proviamo» rispose Anna, che qualche volta era molto cocciuta. «Guarda come si dice un altro in francese.»

Max sfogliò il vocabolario, mentre l'uomo lo guardava con curiosità. Finalmente trovò quel che cercava. «Si dice *autre*» annunciò.

Anna sorrise felice e porse la sua matita all'uomo. «*Un autre crayon?*» chiese.

«*Oui, oui*» rispose l'uomo dopo un attimo di esitazione. Prese un'altra matita dalla scatola e gliela diede. Adesso ne aveva due. «*Non*» rispose Anna, restituendogli una delle matite. Il sorriso dell'uomo, a questo punto, si era alquanto raffreddato. «*Un autre crayon!*» e con il viso e con le mani faceva intendere che voleva qualcosa di molto più piccolo e trascurabile.

L'uomo la fissò per vedere se voleva aggiungere qualcos'altro. Poi si strinse nelle spalle e disse qualcosa in francese di assolutamente incomprensibile.

«Andiamo!» esclamò Max, rosso per l'imbarazzo. «No!» rispose Anna. «Dammi il vocabolario!» Sfogliò febbrilmente le pagine. Alla fine lo trovò. Che costi poco… *bon marché.*

«*Un bon marche crayon!*» strillò trionfalmente,

facendo sussultare due signore che stavano esaminando una macchina da scrivere. «*Un bon marché crayon, s'il vous plaît!*»

L'uomo ormai aveva un'aria molto stanca. Cercò un'altra scatola e tirò fuori una matita blu più sottile. La diede ad Anna che annuì e gli restituì quella rossa. L'uomo le diede venti centesimi di resto. Quindi guardò Max con aria interrogativa.

«*Oui!*» intervenne Anna tutta eccitata. «*Un autre bon marché crayon!*» e si ripeté lo stesso procedimento per la matita di Max.

«*Merci*» disse Max.

L'uomo si limitò a fare un cenno col capo. Era sfinito.

«Abbiamo venti centesimi per uno» disse Anna. «Pensiamo un po' a cosa possiamo comprarci.»

«Non credo siano molti» disse Max.

«Be', meglio che niente» disse Anna. Voleva mostrare all'uomo la sua gratitudine, così, mentre uscivano dal negozio, gli sorrise ancora e lo salutò: «*Bonsoir, madame!*»

Mademoiselle Martel arrivò nel pomeriggio; era una signora francese vestita accuratamente di grigio, i capelli raccolti in un ispido *chignon* grigio.

Prima faceva l'insegnante e parlava anche un po' di tedesco, cosa che fino ad allora non aveva interessato nessuno. Ma adesso che Parigi era piena di profughi dalla Germania, tutti desiderosi di imparare il francese, correva a destra e a sinistra per dare lezioni a tutti. Forse, pensava Anna, era questo il motivo dell'eterna espressione di lieve sorpresa sul suo viso un po' appassito. Era un'ottima insegnante. Fin dall'inizio parlò quasi sempre in francese ai ragazzi, aiutandosi con i gesti e mimando quando non capivano.

«*Le nez*» diceva, indicando il proprio naso accuratamente incipriato, «*la main*», mostrando la mano, e «*les doigts*», muovendo le dita. Poi scriveva le parole e loro le sillabavano e le pronunciavano finché le avevano imparate.

Qualche volta nascevano degli equivoci, come quando lei disse *les cheveux*, indicando i propri capelli. Max credette che *cheveux* volesse dire la crocchia che lei aveva in testa e si mise a ridere imbarazzato quando gli chiese a sua volta di indicare i suoi *cheveux*.

I giorni in cui non veniva a dare lezioni, facevano i compiti. Dapprima imparavano soltanto parole nuove, ma dopo poco tempo mademoiselle Martel diede loro da scrivere piccoli componimenti in francese. «Come facciamo?» chiese Anna. Non sapevano abbastanza il francese.

Mademoiselle Martel batté il dito sul vocabolario. «*Le dictionnaire*» disse con tono deciso.

Fu una terribile fatica. Dovevano guardare quasi ogni parola e ad Anna ci volle quasi tutta la mattina per scrivere metà pagina. Poi, quando la fece vedere a mademoiselle Martel, era quasi tutta sbagliata.

«Non importa, verrà fuori» disse la signorina, in una delle sue rare puntate in tedesco, e «Non importa, verrà fuori!» ripeté scherzosamente Max ad Anna il giorno dopo, quando lei stava ancora faticando, dopo più di un'ora, per buttar giù una noiosissima lite tra cane e gatto.

«E tu allora? Non hai ancora fatto il compito neanche tu!» disse Anna arrabbiata.

«Sì che l'ho fatto» rispose Max. «Una pagina più un pezzo.»

«Non ci credo.»

«Allora, guarda!»

Era vero. Aveva scritto più di una pagina e aveva l'aria di essere tutto in francese.

«Cosa vuol dire?» chiese Anna sospettosamente.

Max tradusse con stile fiorito.

«Un giorno era il compleanno di un ragazzo. Venne molta gente. Ci fu una grande festa. Mangiarono pesce, carne, burro, pane, uova, zucchero, fragole, aragosta, gelato, pomodori, farina...»

«Non avranno certo mangiato farina» osservò Anna.

«Tu non puoi sapere che cos'hanno mangiato» rispose Max. «Comunque, non sono sicuro che la parola sia farina. Prima le ho guardate tutte, ma adesso non mi ricordo.»

«Questa è tutta una lista di quello che hanno mangiato?» chiese Anna, indicando una pagina piena zeppa di virgole.

«Sì» rispose Max.

«E cos'è quest'ultimo pezzetto?» C'era soltanto una frase alla fine senza neanche una virgola.

«Questa è la parte migliore» spiegò Max orgogliosamente. «Credo voglia dire "allora tutti scoppiarono".»

La signorina Martel lesse la composizione di Max senza battere ciglio. Disse che notava che il suo vocabolario si era arricchito. Ma si mostrò meno contenta quando, per il compito successivo, esibì un pezzo quasi del tutto simile. Questa volta cominciava con "C'era una volta un matrimonio"; i cibi che mangiavano gli ospiti erano diversi, ma finiva che tutti scoppiavano, proprio come nell'altro tema. Mademoiselle Martel aggrottò le sopracciglia e tamburellò le dita sul vocabolario. Poi disse a Max in tono deciso che la prossima volta doveva scrivere qualcosa di diverso.

La mattina dopo, i ragazzi erano seduti in sala da pranzo, con i libri sparsi sulla tavola ricoperta dall'incerata rossa, come al solito.

Anna era alle prese con il racconto di un cavallo e di un gatto. All'uomo piaceva il gatto e al gatto piaceva il cavallo e al cavallo piaceva l'uomo ma non piaceva il gatto... Era avvilente impiegare il proprio tempo in quelle storie, quando avrebbe potuto scrivere tante cose interessanti in tedesco.

Max non stava scrivendo niente, aveva lo sguardo fisso nel vuoto. Quando Grete entrò e disse di mettere via tutto, perché voleva apparecchiare la tavola, il suo foglio era ancora bianco.

«Ma è soltanto mezzogiorno!» gridò Anna.

«Dopo non ho tempo» ribatté Grete, di cattivo umore come al solito.

«Ma non possiamo lavorare da nessun'altra parte... questo è l'unico tavolo» disse Max e riuscirono con difficoltà ad averla vinta, rimanendo ancora un po'.

«Cos'hai intenzione di fare?» domandò Anna. «Questo pomeriggio vogliamo andare fuori.»

Max sembrò prendere una decisione. «Dammi il vocabolario» disse. Mentre lo sfogliava rapidamente (erano entrambi diventati molto abili in questo), Anna lo sentì mormorare «funerale».

Durante la lezione successiva, la signorina Martel lesse in silenzio il componimento di Max. Max aveva fatto del suo meglio per introdurre una certa varietà nel suo tema di base. Nel racconto alcuni partecipanti a un funerale – certamente addolorati – mangiavano carta, pepe, pinguini, carne secca e pesce, oltre a cibi meno esotici, e dopo il solito finale su come tutti alla fine scoppiavano, Max aveva aggiunto la frase "Così ci furono molti altri funerale". Per qualche attimo mademoiselle Martel rimase in silenzio. Poi disse, dopo aver guardato Max a lungo, con sguardo severo: «Giovanotto, hai bisogno di cambiare.»

Quando la mamma venne, alla fine della lezione come spesso faceva, per chiedere come andavano i ragazzi, mademoiselle Martel fece un breve discorso. Disse che erano già tre settimane che dava lezione ai ragazzi, e avevano fatto considerevoli progressi. A questo punto, però, avrebbero imparato di più stando con altri ragazzi e ascoltando la gente che parlava francese.

La mamma era d'accordo. Era chiaro che anche lei la pensava così.

«Siamo quasi a Natale» disse. «Potrebbe dare loro ancora un paio di lezioni prima delle vacanze, poi andranno a scuola.»

Nel periodo che restava, anche Max lavorò sodo. L'idea di frequentare una scuola in cui tutti parlavano francese lo spaventava abbastanza.

E presto il Natale fu vicino. Grete partì per l'Austria in vacanza e siccome la mamma era molto indaffarata a cucinare, nessuno faceva le pulizie e c'era molta polvere in giro. Ma era molto piacevole stare senza Grete, che era sempre scontenta, e così nessuno faceva caso al disordine. Anna non vedeva l'ora che fosse Natale e nello stesso tempo aveva paura. Lo desiderava, perché non si può fare a meno di desiderare il Natale, ma temeva che le avrebbe ricordato Berlino e com'era di solito il Natale, com'era stato soltanto un anno prima.

«Credi che faremo l'albero?» chiese a Max. A Berlino c'era sempre stato un grande albero nell'ingresso, e una delle gioie del Natale era proprio rivedere le palle di vetro multicolori, gli uccelli con le code di piume e le trombette che si potevano veramente suonare, quando riapparivano ogni anno a decorarlo.

«Non credo che ai francesi piaccia molto l'albero di Natale» rispose Max.

Però la mamma riuscì lo stesso ad averne uno. Quando il babbo li chiamò per il tè, la vigilia di Natale, per cominciare i festeggiamenti, i ragazzi corsero in sala, e l'albero fu la prima cosa che Anna vide. Era piccolo, alto poco più di mezzo metro, e la mamma, invece delle decorazioni di vetro, l'aveva ornato di fili d'argento e coperto di candeline. Ma era lo stesso molto grazioso, tutto scintillante di verde e argento che si rifletteva sull'incerata rossa della tavola, e Anna ebbe subito la sensazione che il Natale sarebbe andato bene.

I regali erano modesti, se paragonati a quelli degli anni precedenti, ma forse perché ognuno ne aveva più bisogno, la felicità fu la stessa.

Anna ricevette una scatola nuova di pastelli e Max una penna stilografica. Omama aveva mandato dei soldi e con la sua parte la mamma aveva comprato ad Anna un paio di scarpe. Non era una sorpresa, perché Anna aveva dovuto provarle nel negozio, ma la mamma poi le aveva subito messe via, così per Natale erano ancora nuove. Erano di pelle marrone pesante, con le fibbie dorate, e Anna si sentiva a meraviglia quando le aveva indosso. Ricevette anche un temperamatite in un piccolo astuccio e un paio di calze rosse di lana fatte a mano dalla signora Zwirn, e quando credeva di avere visto tutti i regali, ne trovò un altro: un minuscolo pacchetto dello zio Julius.

Anna lo aprì con cura e proruppe in un'esclamazione di gioia. «Che bello! Cos'è?»

Arrotolata nella carta velina, c'era una catenina d'argento con ciondoli a forma di animaletti. C'erano un leone, un cavallo, un gatto, un uccello, un elefante e, naturalmente, una scimmia.

«È un braccialetto portafortuna» spiegò la mamma, mentre glielo sistemava al polso. «Che pensiero gentile ha avuto lo zio Julius!»

«C'è anche una lettera» disse Max, porgendola ad Anna che la lesse forte.

«Cara Anna» diceva, «spero che questo piccolo regalo ti ricordi le nostre visite allo zoo di Berlino. Non è bello andarci, senza di te. Salutami tanto la cara zia Alice. Spero stia bene. Dille che spesso penso a lei e ai suoi buoni consigli, che forse avrei dovuto seguire. Un abbraccio a tutti voi. Zio Julius.»

«Cosa vuol dire?» chiese Anna. «Noi non abbiamo nessuna zia Alice.»

Il babbo le prese la lettera di mano. «Credo che si riferisca a me» spiegò. «Mi chiama zia Alice, perché i nazisti aprono spesso le lettere e passerebbe dei brutti guai se sapessero che mi scrive.»

«Che consiglio gli avevi dato?» domandò Max.

«Gli avevo detto di lasciare la Germania» rispose il babbo, e aggiunse piano: «Povero Julius!»

«Gli scriverò per ringraziarlo» esclamò Anna «e gli farò un disegno con i pastelli nuovi.»

«Sì» disse il babbo «e digli che la zia Alice ricambia i suoi saluti affettuosi.» Improvvisamente la mamma emise un urlo che ormai tutti conoscevano.

«Il mio pollo!» gridò e corse in cucina. Ma non era bruciato e ben presto tutti erano seduti intorno a un vero pranzo di Natale, cucinato dalla mamma. Oltre al pollo, c'erano patate arrosto e carote, seguiti da torta di mele con panna. La mamma era diventata un'ottima cuoca. Aveva anche fatto i cuori di pan di zenzero, che si usava mangiare a Natale in Germania. Ma qualcosa non andava: erano molli invece di essere duri e croccanti; avevano però lo stesso un buon sapore.

Alla fine del pasto, il babbo versò a tutti un po' di vino e fece un brindisi.

«Alla nostra nuova vita in Francia!» disse, e tutti ripeterono: «Alla nostra nuova vita in Francia!»

La mamma in realtà non bevve neanche un sorso di vino, perché diceva che aveva un sapore d'inchiostro, invece ad Anna piaceva e ne bevve un bicchiere pieno. Quando alla fine andò a letto, si sentiva intontita e dovette chiudere gli occhi, perché la lampada gialla e l'armadio continuavano a girarle intorno. Era stato un bel Natale, pensò. E presto sarebbe andata a scuola e avrebbe scoperto com'era veramente la vita in Francia.

Capitolo quattordici

Anna non andò a scuola presto come aveva previsto. La mamma aveva disposto che Max andasse ai primi di gennaio in un *lycée* maschile – un *lycée* era una scuola superiore francese – ma c'erano pochissimi *lycée* femminili a Parigi ed erano tutti pieni, con lunghe liste d'attesa.

«Non possiamo permetterci una scuola privata» disse la mamma «e per te non va bene una *école communale*.»

«Perché no?» chiese Anna.

«Va bene per quei ragazzi che smettono presto di andare a scuola, ma non credo che sia adatta a te» spiegò la mamma. «Per esempio, non ti insegnerebbero il latino.»

«Non ho nessun bisogno di imparare il latino» saltò su Anna «ne avrò abbastanza con il francese. Voglio soltanto andare a scuola!»

Ma la mamma replicò: «Non c'è fretta. Dammi un po' di tempo per cercare in giro.»

Così Max andò a scuola e Anna rimase a casa. La scuola di Max era quasi dall'altra parte di Parigi. La mattina presto doveva prendere la metropolitana e tornava il pomeriggio dopo le cinque. La mamma l'aveva scelta, benché fosse così lontana, perché i ragazzi giocavano a calcio due volte la settimana. Nella maggior parte delle scuole francesi non c'era tempo per giocare, si doveva soltanto lavorare.

Il primo giorno senza Max, l'appartamento sembrò triste e vuoto. La mattina Anna andò a fare la spesa con la mamma. Era una bella giornata, ma faceva freddo e in quell'ultimo anno lei era così cresciuta che c'era una grande distanza tra il bordo dei calzettoni fatti a mano e l'orlo del cappottino. La mamma guardò le gambe di Anna con la pelle d'oca e sospirò.

«Non so come faremo per vestirti» disse.

«Sto benissimo» disse Anna. «Metto il golf che mi hai fatto.»

Il golf, proprio per la strana tecnica che usava la mamma nel lavorare a maglia, era diventato così largo, fitto e spesso che il freddo non poteva certo entrarci, ed era un indumento utilissimo. Il fatto è che era lungo quasi quanto la sottana, ma Anna non ci badava granché.

«Bene, se sei sicura di stare calda, andremo al mercato» propose la mamma. «Là tutto costa meno.»

Il mercato risultò essere abbastanza lontano e Anna portò la borsa di corda della mamma, mentre percorrevano diverse stradine serpeggianti, finché sbucarono in una strada affollata piena di negozi e banchetti. Questi ultimi vendevano di tutto, dalla verdura alla merceria, e la mamma, prima di fare un acquisto, li ispezionava tutti minuziosamente, per essere sicura di spendere bene i suoi soldi.

I proprietari dei negozi e dei banchetti gridavano per promuovere la loro merce, sollevandola perché la gente potesse vederla. Qualche volta la mamma e Anna riuscivano a malapena a passare, perché i venditori piantavano loro davanti cipolle e carote belle lisce perché le ammirassero. Alcuni negozi tenevano solo qualche specialità. Uno vendeva soltanto formaggio e ce n'erano per lo meno di trenta tipi diversi, tutti avvolti accuratamente nella garza, in mostra sopra un tavolo a cavalletti sul marciapiede.

Improvvisamente, proprio mentre la mamma si accingeva a comprare un cavolo rosso, Anna sentì una voce sconosciuta che si rivolgeva a loro in francese. Apparteneva a una signora con un cappotto verde. Aveva una borsa piena di roba e sorrideva ad Anna con un'espressione amichevole negli occhi castani. La mamma, che pensava ancora al cavolo, sulle prime non la riconobbe. Poi esclamò: «Madame Fernand!» con voce piena di gioia e si strinsero la mano. Madame Fernand non sapeva una parola di tedesco, e parlava in francese con la mamma. Anna notò che, sebbene non avesse ancora un accento perfetto, la mamma però parlava molto più correntemente di quando erano arrivati. Madame Fernand chiese ad Anna se sapeva parlare francese, e pronunciò le parole in modo così lento e chiaro che Anna capì.

«Un po'» rispose Anna, e madame Fernand batté le mani, esclamando: «Benissimo!» e le disse che aveva un bellissimo accento francese.

La mamma aveva ancora in mano il cavolo rosso che stava comprando e madame Fernand glielo tolse gentilmente e lo rimise sul banchetto. Poi condusse la mamma a un altro banco dietro l'angolo, che doveva esserle sfuggito, che aveva cavoli rossi più belli e a minor prezzo. Spinta da madame Fernand, la mamma non soltanto comprò un cavolo rosso, ma anche molta altra verdura e frutta, e prima di lasciarle, madame Fernand regalò ad Anna una banana "per darle la forza di affrontare la via del ritorno", come tradusse la mamma.

Quest'incontro aveva rallegrato la mamma e Anna. La mamma aveva conosciuto madame Fernand e suo marito, un giornalista, quando era venuta per la prima volta a Parigi col babbo e le erano piaciuti molto. Adesso madame Fernand le aveva detto di telefonarle se aveva bisogno di aiuto o di consiglio per qualsiasi cosa. Suo marito partiva per qualche settimana, ma madame Fernand voleva che al suo ritorno la mamma e il babbo andassero a mangiare da loro. La mamma sembrava felice all'idea. «Sono persone così simpatiche» disse «e sarebbe bello avere degli amici a Parigi.»

Finirono di fare la spesa e la portarono a casa. Anna disse alla portinaia «*Bonjour, madame*», sperando che notasse il suo perfetto accento francese e chiacchierò allegramente con la mamma mentre salivano con l'ascensore. Ma mentre entravano in casa, si ricordò che Max era a scuola e la giornata improvvisamente tornò a essere triste. Aiutò la mamma a mettere via la roba che avevano comprato, e dopo non sapeva più cosa fare.

Grete era in bagno, stava lavando della biancheria e per un attimo Anna pensò di andare a parlare con lei. Ma dopo la vacanza in Austria, Grete era più musona che mai.

Trovava che tutto in Francia fosse orribile. La lingua era impossibile, la gente era sporca, il cibo troppo condito: niente le andava bene. In più, la madre le aveva strappato altre promesse, durante il suo soggiorno a casa: a parte il fatto che doveva sempre dormire un certo numero di ore, Grete aveva promesso alla madre di fare attenzione alla schiena, il che voleva dire che, se puliva i pavimenti, doveva farlo molto lentamente e mai negli angoli, e non doveva stancarsi le braccia. Aveva anche promesso di fare sempre un pasto abbondante, di riposare quando era stanca e di non prendere mai freddo.

Grete ci teneva molto a mantenere tutte queste promesse, che erano di continuo minacciate dalle richieste della mamma e del resto della famiglia, e saltavano fuori nella sua conversazione quasi quanto la sua disapprovazione per i francesi.

Anna non se la sentì di affrontarla proprio ora e tornò in cucina dalla mamma, chiedendo: «Cosa faccio?»

«Potresti leggere un po' di francese» propose la mamma. Mademoiselle Martel aveva lasciato da leggere ad Anna un libro di racconti, così lei si sedette in sala e per un po' si diede da fare. Ma era per bambini molto più piccoli di lei e stare seduta a faticare col dizionario accanto, soltanto per scoprire che Pierre aveva tirato un bastoncino alla sorellina e la mamma gli aveva detto che era birichino, era deprimente.

Arrivò con sollievo l'ora di pranzo e Anna aiutò ad apparecchiare la tavola e poi a sparecchiarla. Lavorò un po' con gli acquerelli, ma anche così il tempo passava molto lentamente e alla fine, quando le cinque erano passate da un bel pezzo, suonò il campanello alla porta, che annunciò il ritorno di Max. Anna si precipitò ad aprirgli, e trovò che la mamma l'aveva preceduta.

«Allora Max, com'è andata?» chiese subito la mamma.

«Bene» rispose lui, ma era pallido e aveva un'aria stanca.

«Non è bello?» chiese Anna.

«Come faccio a saperlo?» rispose Max arrabbiato. «Non capisco una parola di quello che dicono gli altri.»

Per tutto il resto della serata rimase zitto e imbronciato. Soltanto dopo cena, disse improvvisamente alla mamma: «Voglio avere una cartella francese come si deve.» Diede un calcio allo zainetto tedesco che aveva sempre avuto sulle spalle. «Se poi vado in giro con questo qui, sembro proprio diverso da tutti gli altri.»

Anna sapeva che le cartelle costavano care e senza pensarci osservò: «Ma questo zaino è quasi nuovo!»

«E tu cosa c'entri?» gridò Max. «Cosa vuoi sapere, proprio tu che te ne stai a casa tutto il giorno a far niente!»

«Non è colpa mia se non vado a scuola!» gridò Anna di rimando. «È la mamma che non ne ha ancora trovata una che fa per me.»

«E allora, finché non ci vai, chiudi il becco!» gridò ancora Max, dopodiché non si rivolsero più la parola, anche se la mamma, con grande sorpresa di Anna, promise a Max che avrebbe avuto la cartella.

Che tristezza, pensò Anna. Aveva desiderato tutto il giorno che Max tornasse e adesso avevano bisticciato. Decise che il giorno dopo sarebbe stato diverso, e invece andò allo stesso modo. Max tornò a casa così stanco e di cattivo umore che non passò molto tempo che bisticciarono di nuovo.

A peggiorare le cose, cominciò a piovere. Anna prese il raffreddore e non poteva uscire. Cominciò a sentirsi prigioniera, chiusa in casa per giorni e giorni e la sera lei e Max erano così arrabbiati che difficilmente riuscivano a scambiarsi una parola senza bisticciare.

A Max sembrava ingiusto dover lottare con mille difficoltà a scuola, mentre Anna se ne stava a casa, e Anna sentiva che Max stava facendo enormi passi avanti in quel mondo nuovo nel quale dovevano vivere e temeva che non ce l'avrebbe mai fatta a riguadagnare terreno.

«Se soltanto potessi andare a scuola, a una qualunque!» diceva Anna alla mamma.

«Non puoi andare a una scuola qualunque» rispondeva la mamma. Ne aveva viste parecchie, ma nessuna andava bene. Si era anche rivolta a madame Fernand. Stavano tutti attraversando un periodo molto deprimente.

Anche il babbo era stanco. Aveva lavorato moltissimo e Anna gli aveva anche attaccato il raffreddore, e adesso aveva ricominciato con gli incubi di notte. La mamma diceva che li aveva già avuti, ma alla pensione Zwirn i ragazzi non se ne erano accorti. Sognava sempre la stessa cosa: che cercava di scappare dalla Germania e alla frontiera veniva fermato dai nazisti. Allora si svegliava urlando.

Max aveva sempre avuto un sonno pesante e gli incubi del babbo non lo disturbavano, anche se la sua camera era accanto alla loro, ma Anna lo sentiva sempre e ne soffriva terribilmente. Se il babbo si fosse svegliato subito con un grande urlo, non sarebbe stato così orribile. Ma gli incubi cominciavano sempre lentamente; dapprima il babbo gemeva ed emetteva dei suoni rauchi spaventosi, infine mandava un grido forte, disperato. La prima volta che successe, Anna pensò che il babbo stesse male. Corse in camera sua e restò senza poterlo aiutare vicino al suo letto, chiamando a gran voce la mamma. Anche dopo che le ebbero spiegato degli incubi, continuò ad averne paura e orrore. Le pareva terribile stare lì distesa a letto ad ascoltare il babbo, sapendo che in sogno gli accadevano cose tremende.

Una sera, andando a letto, Anna desiderò con tutte le sue forze che il babbo non avesse più gli incubi.

«Vi prego, vi prego!» bisbigliò – perché, sebbene non credesse proprio in Dio, sperava sempre che ci fosse qualcuno che potesse sistemare queste cose – «Oh, vi prego, fate che sia io ad avere gli incubi invece del babbo!» E rimase immobile, aspettando di addormentarsi, ma non successe nulla.

Max abbracciò stretto il cuscino, sospirò un paio di volte e immediatamente cadde addormentato. Ma pareva che fossero trascorse delle ore e Anna era ancora lì, immobile, a fissare il soffitto buio con gli occhi spalancati. Cominciò ad arrabbiarsi. Come poteva avere un incubo se non riusciva neanche a prendere sonno? Aveva cercato di fare dei calcoli a mente e di pensare alle cose più noiose, ma non era servito a niente. Forse era meglio se si alzava per bere un po' d'acqua? Ma il letto era così comodo che decise di rimanerci. Però, alla fine, doveva essersi alzata, perché si ritrovò nell'ingresso.

Non aveva più sete e pensò di scendere in ascensore per vedere che aspetto aveva la strada di notte. Fu sorpresa di trovare la portinaia addormentata in un'amaca sospesa davanti al portone e dovette spingerla da parte per potere uscire. La porta sbatté alle sue spalle – si augurò che la portinaia non si svegliasse – e si trovò fuori in strada.

Fuori era tutto tranquillo, e c'era una strana atmosfera dorata che non aveva mai visto prima. Passarono in fretta due uomini che trascinavano un albero di Natale.

«Meglio farsi da parte» disse uno dei due. «Sta arrivando.»

«Che cosa?» chiese Anna, ma gli uomini sparirono dietro l'angolo e nello stesso tempo sentì venire dalla parte opposta un rumore strascicante.

L'atmosfera si fece più accesa e apparve una creatura enorme, alta e grossa, in fondo alla strada. Sebbene fosse straordinariamente grande, aveva qualcosa di familiare e di colpo Anna si accorse che era Pumpel, che aveva assunto proporzioni gigantesche. Quel rumore strascicante era delle sue zampe. Guardò Anna con gli occhietti cattivi, leccandosi le labbra.

«Oh, no!» gridò Anna.

Cercò di scappare, ma l'aria diventò di piombo e non riuscì a muoversi. Pumpel si diresse verso di lei.

Ci fu un fruscio di ruote e un poliziotto passò velocemente in bicicletta, col mantello svolazzante.

«Contagli le zampe!» gridò mentre le passava vicino. «È la tua unica salvezza!»

Come faceva a contare le zampe di Pumpel? Era come un millepiedi: aveva zampe dappertutto, parevano denti di un pettine, che si muovevano ai lati del suo lungo corpo.

«Uno, due, tre...» Anna cominciò in fretta, ma era inutile; Pumpel continuava a venire verso di lei, e adesso vedeva i suoi brutti denti aguzzi.

Doveva indovinare.

«Novantasette!» gridò, ma Pumpel continuava ad avvicinarsi e improvvisamente si rese conto che, poiché erano a Parigi, lui si aspettava che contasse in francese. Come si diceva novantasette in francese? In preda al panico, non riusciva a pensare.

«*Quatre vingts...*» balbettò, mentre Pumpel le era quasi addosso... «*Quatte vingts dix sept!*» gridò trionfalmente e si trovò con un balzo seduta sul letto.

Era tutto silenzioso e Max respirava tranquillamente nell'altro letto. Il cuore le batteva forte e provava una tale stretta al petto che a malapena riusciva a muoversi. Ma era tutto a posto. Era salva. Era stato soltanto un sogno.

Qualcuno dall'altra parte del cortile aveva ancora la luce accesa, che rifletteva sulle tende un rettangolo chiaro dorato. Vedeva il contorno scuro dei suoi vestiti, appoggiati sulla sedia, pronti per la mattina. Dalla camera del babbo non veniva nessun rumore. Restò a godersi la calda familiarità di tutto ciò, finché si sentì tranquilla e le venne sonno. Allora, con un impeto di trionfo, ricordò. Aveva avuto un incubo! Lei aveva avuto un incubo e il babbo no! Ma allora ci era riuscita! Si rannicchiò nel letto tutta felice e si svegliò che era mattina e Max si stava vestendo.

«Hai fatto brutti sogni stanotte?» chiese al babbo a colazione.

«Per niente» rispose il babbo. «Credo proprio di essere guarito.»

Anna non lo disse mai a nessuno, ma ebbe sempre la sensazione di essere stata lei a guarire il babbo dagli incubi notturni e, strano a dirsi, né lei né il babbo ne soffrirono più.

Una sera, qualche giorno dopo, Anna e Max litigarono più del solito.

Max era tornato a casa e aveva trovato i colori e i disegni di Anna sparsi dappertutto sulla tavola e non c'era posto per lui, che doveva fare i compiti. «Tira via subito questa porcheria!» gridò, e Anna ribatté: «Non è una porcheria! Soltanto perché vai a scuola, non sei l'unica persona che conti in questa casa!»

La mamma stava parlando al telefono, e dalla porta aperta disse ai ragazzi di stare zitti.

«Conto certamente più di te» sibilò Max. «Te ne stai tutto il giorno seduta a casa a fare niente!»

«Non è vero!» si difese Anna. «Disegno e apparecchio la tavola…»

«Disegno e apparecchio la tavola» Max le rifece il verso, in modo particolarmente odioso. «Non sei altro che una parassita!»

Questo era troppo per Anna. Non sapeva esattamente cosa fosse un parassita, ma aveva una vaga idea che fosse una cosa disgustosa che cresceva sugli alberi. Mentre la mamma abbassava il ricevitore, scoppiò a piangere.

La mamma sistemò le cose rapidamente, come suo solito. Max non doveva dire quelle parole ad Anna – comunque era sciocco chiamarla parassita – e Anna doveva sgombrare la tavola e fare posto ai quaderni di Max.

Poi aggiunse: «Comunque, se Max ti ha chiamato parassita soltanto perché lui va a scuola e tu no, non sarà più così.»

Anna si fermò, mentre stava mettendo le matite nell'astuccio. «Perché?» chiese.

«Era madame Fernand al telefono» spiegò la mamma. «Mi ha informato che c'è una piccola *école communale* molto buona qui vicino. Così, se tutto va bene, potrai cominciare ad andarci la settimana prossima.»

Capitolo quindici

Il lunedì seguente, Anna s'incamminò con la mamma verso l'*école communale*. Aveva la cartella e una scatola di cartone con dentro dei panini per il pranzo. Sotto il cappotto, un grembiule nero a pieghe, che la mamma le aveva comprato seguendo il consiglio della direttrice. Ne era molto orgogliosa e considerava una fortuna che il cappotto fosse troppo corto per coprirlo, così tutti potevano vederlo.

Presero il *métro*, ma, sebbene la distanza fosse breve, dovettero cambiare due volte. «La prossima volta cercheremo di farla a piedi» disse la mamma. «Sarà anche meno costoso.» La scuola era poco distante dagli Champs Elysées, un bel viale ampio con negozi scintillanti e *cafés*, e fu una sorpresa trovare il vecchio cancello con la scritta *École de Filles* nascosto dietro a tanto splendore. La costruzione era scura e decisamente molto vecchia. Attraversarono il cortile vuoto e da una delle classi arrivò l'eco di un canto. Le lezioni erano già cominciate. Mentre Anna saliva le scale di pietra al fianco della mamma per andare dalla direttrice, improvvisamente le venne da chiedersi cosa l'aspettasse e che impressione le avrebbe fatto questa nuova vita.

La direttrice era una donna alta, svelta. Strinse la mano ad Anna e spiegò alla mamma qualcosa in francese, che la mamma tradusse. Le dispiaceva che non ci fosse nessuno nella scuola che parlasse tedesco, ma sperava che Anna avrebbe presto imparato il francese. Poi la mamma disse: «Arrivederci alle quattro» e Anna sentì il rumore dei suoi tacchi che risuonava giù per le scale, mentre lei rimaneva in piedi nello studio della direttrice.

La direttrice sorrise ad Anna. Anna le sorrise di rimando. Ma è difficile sorridere a qualcuno senza parlare e dopo un po' sentì che la faccia le si irrigidiva. Anche la direttrice doveva sentirsi a quel modo, perché improvvisamente il sorriso le si spense in faccia. Tamburellava le dita sulla scrivania e pareva fosse in ascolto di qualcosa, ma non successe nulla, e Anna cominciava a domandarsi se sarebbero state lì tutto il giorno, quando si sentì bussare alla porta. La direttrice disse: «*Entrez!*» e apparve una ragazzina coi capelli scuri, pressappoco dell'età di Anna. La direttrice esclamò qualcosa, che Anna pensò volesse dire "finalmente!" e fece una tirata in tono arrabbiato. Poi si rivolse ad Anna e le disse che la ragazzina si chiamava Colette e qualcos'altro che poteva oppure no voler dire che avrebbe avuto cura di lei. Aggiunse qualcosa e Colette si avviò alla porta. Anna, non sapendo se doveva seguirla oppure no, rimase dov'era. «*Allez! Allez!*» esclamò la direttrice, sventolando una mano verso di lei, come per scacciare una mosca e Colette prese per mano Anna e la condusse fuori della porta.

Non appena la porta si chiuse alle loro spalle, Colette fece una boccaccia e sbottò in un «Uff». Anna fu contenta di scoprire che anche lei giudicava la direttrice piuttosto noiosa e si augurò che le insegnanti non fossero tutte come lei. Poi seguì Colette lungo il corridoio e attraverso varie porte. Da una delle aule giungeva un mormorio di voci francesi. Altre erano silenziose: le scolare stavano scrivendo oppure facendo dei calcoli.

Arrivarono in uno spogliatoio e Colette le fece vedere dove doveva appendere il cappotto, ammirò il suo zainetto e fece notare che il grembiule nero di Anna era proprio come il suo; tutto in un francese rapidissimo, aiutandosi coi gesti. Anna non riusciva a capire una parola, ma indovinava quello che voleva dire.

Poi Colette la condusse attraverso un'altra porta e Anna si trovò in una grande stanza piena di banchi. Dovevano essere per lo meno venti bambine, pensò Anna. Avevano tutte il grembiule nero e questo, anche per via della scarsa illuminazione, dava un tono triste alla classe. Le bambine stavano ripetendo qualcosa in coro, ma quando

Anna entrò con Colette, smisero tutte di colpo e la guardarono. Anna a sua volta le guardò, ma cominciava a sentirsi imbarazzata e improvvisamente l'assalì il dubbio disperato che quella scuola non le piacesse. Si aggrappò allo zainetto e alla scatola dei panini, cercando di far vedere che non le importava niente.

In quel momento sentì una mano sulla spalla. Un profumo leggero con un tocco lieve di aglio l'avvolse e si trovò di fronte un viso grinzoso dall'espressione molto amichevole, circondato da riccioli neri.

«*Bonjour, Anna*» disse, molto lentamente e chiaramente, per farsi capire da Anna. «Sono la tua insegnante. Mi chiamo madame Socrate.»

«*Bonjour, madame*» salutò Anna a voce bassa.

«Benissimo!» esclamò madame Socrate. Fece

un cenno con la mano verso le file dei banchi e aggiunse lentamente e chiaramente come prima: «Queste bambine sono nella tua classe» e qualcosa come "amiche".

Anna distolse gli occhi da madame Socrate e arrischiò un rapido sguardo intorno. Le bambine non la fissavano più ma sorridevano e lei si sentì molto meglio. Poi Colette la condusse al banco accanto al suo, madame Socrate disse qualcosa e le bambine – tutte eccetto Anna – ripresero a ripetere in coro.

Anna si sedette, lasciandosi andare al suono monotono. Si chiedeva cosa stessero ripetendo. Era strano assistere a una lezione a scuola, senza nemmeno sapere su cosa fosse. Mentre ascoltava, afferrò nel ronzio qualche numero. Erano tabelline? No, non c'erano abbastanza numeri. Sbirciò il libro che era sul banco di Colette. Sulla copertina c'era la figura di un re con la corona. Allora capì, proprio mentre madame Socrate batté le mani per fare cessare la cantilena. Era storia! I numeri erano date e la lezione era di storia! Chissà perché questa scoperta le fece piacere.

Adesso le scolare stavano tirando fuori dal banco dei quaderni e Anna ne ricevette uno nuovo di zecca. La lezione successiva era un dettato. Anna riconobbe la parola, perché una volta o due mademoiselle Martel aveva dettato qualche semplice parola a lei e a Max. Ma questo era molto diverso. C'erano frasi lunghe e Anna non aveva la minima idea di cosa volessero dire. Non capiva dove finiva una frase e ne cominciava un'altra e neppure dove finiva una parola e ne cominciava un'altra. Pareva inutile anche tentare, ma avrebbe fatto una figura ancora peggiore stando lì seduta senza scrivere niente. Così fece del suo meglio per tradurre quei suoni incomprensibili in lettere, che via via raggruppava in qualche modo. Quando aveva completato quasi una pagina intera con questo strano sistema, il dettato finì, i quaderni furono ritirati, e suonò un campanello per la ricreazione.

Anna si mise il cappotto e seguì Colette in cortile: uno spazio rettangolare pavimentato chiuso da un cancello, che si andava già affollando di altre bambine. Era una giornata fredda e correvano e saltavano per scaldarsi. Non appena Anna apparve con Colette, alcune bambine si affollarono intorno a loro e Colette le presentò: Claudine, Marcelle, Micheline, Françoise, Madeleine... Era impossibile ricordare tutti i loro nomi, ma sorridevano tutte e tendevano la mano ad Anna, che si sentiva molto grata per il loro atteggiamento amichevole.

Fecero un gioco accompagnandosi col canto. Intrecciavano le braccia e cantavano, saltellando in avanti e di lato, seguendo il ritmo. In principio sembrava abbastanza tranquillo, ma via via che il gioco proseguiva, le bambine si muovevano sempre più svelte, finché arrivavano a un garbuglio tale che crollavano in mucchio, ridendo a crepapelle e rimanendo infine senza fiato. La prima volta Anna stette a guardare, ma la seconda volta Colette la prese per mano e la portò in fondo alla fila. Intrecciò le braccia con Françoise – o era Micheline? – e fece del suo meglio per andare a tempo. Quando sbagliava, tutte ridevano, ma amichevolmente. Quando lo eseguì bene, furono felici per lei. Divenne accaldata, eccitata e come risultato dei suoi errori, il gioco finì in una confusione ancor più grande di prima. Colette rideva tanto che dovette sedersi e anche Anna rideva. Si rese improvvisamente conto di quanto tempo era che non giocava con altri bambini. Era bello essere di nuovo a scuola. Verso la fine della ricreazione, si era messa persino a cantare le parole della canzone, anche se non aveva la più pallida idea di che cosa volesse dire.

Quando tornarono in classe, madame Socrate aveva coperto la lavagna di addizioni e Anna si sentì sollevata. Ci lavorò sopra finché suonò la campana e le lezioni del mattino erano terminate.

Il pasto si consumava in una cucina piccola e calda, sotto la sorveglianza di una signora grossa di nome Clothilde. Quasi tutte le bambine abitavano vicino e andavano a casa a mangiare, ce n'era soltanto una più piccola che restava, insieme a un bambino di circa tre anni, che doveva essere di Clothilde. Anna mangiò i suoi panini. L'altra bambina aveva carne, contorno di verdura e dolce, e Clothilde le riscaldò tutto allegramente sul fornello. Era un pasto molto più invitante del suo e anche Clothilde lo pensava. Fece una smorfia, rivolta ai panini, come se fossero veleno, esclamando: «No buono! No buono!» e fece capire ad Anna, con molti gesti in direzione dei fornelli, che la prossima volta doveva portare un pasto vero e proprio.

«*Oui*» rispose Anna e arrischiò persino un «*Demain*», che voleva dire domani, e Clothilde annuì con la sua faccia larga, illuminandosi.

C'era voluto un po' per questo scambio di parole e verso la fine si aprì la porta ed entrò madame Socrate.

«Ah» disse con voce lenta e chiara. «Parli in francese. Molto bene.» Il bambino di Clothilde le corse incontro. «Io so parlare francese!» strillò.

«Sì, ma non sai parlare tedesco» rispose madame Socrate e gli fece il solletico sul pancino, facendolo ridacchiare di gioia. Poi fece cenno ad Anna di seguirla. Tornarono in classe e madame Socrate si sedette con lei in un banco. Mise davanti i lavori del mattino e indicò il compito d'aritmetica.

«Molto bene!» disse. Anna l'aveva fatto quasi tutto giusto. Poi madame indicò il dettato. «Molto male!» disse, ma fece un viso così buffo mentre lo diceva che ad Anna non importò. Anna guardò il quaderno. Il dettato era scomparso sotto un mare d'inchiostro rosso. Quasi tutte le parole erano sbagliate. Madame Socrate aveva dovuto riscrivere tutto. In fondo alla pagina c'era scritto in rosso "142 errori" e madame Socrate indicò il numero con aria insieme stupita e impressionata, come se fosse un primato; e probabilmente lo era. Poi sorrise, batté leggermente Anna sulla spalla e le disse di copiare la versione esatta. Anna lo fece molto accuratamente, e sebbene non capisse quasi niente di quanto aveva scritto, era contenta di avere qualcosa sul quaderno che non fosse tutto cancellato.

Il pomeriggio c'era disegno e Anna fece un gatto, che fu molto ammirato da tutti. Lo diede a Colette che era stata così gentile con lei e Colette le rispose, in quel suo solito misto di rapido francese e pantomima, che l'avrebbe appeso alla parete in camera sua. Quando la mamma andò a prenderla alle quattro, Anna era molto allegra.

«Com'era la scuola?» chiese la mamma e Anna rispose: «Bella!»

Soltanto quando fu a casa si accorse di quant'era stanca, ma quella sera, per la prima volta dopo settimane, lei e Max non litigarono. Fu molto faticoso tornare a scuola il giorno dopo, e l'altro ancora, ma poi arrivò il giovedì e in Francia non si andava a scuola, e lei e Max avevano un'intera giornata libera.

«Cosa facciamo?» chiese Max.

«Andiamo al Prisunic con i nostri risparmi» propose Anna. Era un magazzino che avevano scoperto lei e la mamma durante una delle loro spedizioni per fare la spesa. C'era tutto a buon mercato: niente di quel che era in vendita costava più di dieci franchi.

C'erano giocattoli, articoli casalinghi, cartoleria e persino dei vestiti. Anna e Max passarono un'ora felice, cercando tutto quello che potevano comprare coi loro soldi, fosse un pezzo di sapone o un calzino, e infine riemersero con due trottole. Nel pomeriggio ci giocarono in una piazzetta vicino a casa, finché fu buio.

«Ti piace la tua scuola?» chiese improvvisamente Max, mentre tornavano.

«Sì» rispose Anna. «Sono tutti molto gentili e non gli importa se non capisco quello che dicono. Perché? A te non piace la tua?»

«Oh, sì» disse Max. «Anche con me sono gentili, e comincio anche a capire il francese.»

Per un po' camminarono in silenzio, poi Max improvvisamente esclamò: «Ma c'è una cosa che non posso assolutamente sopportare!»

«Che cosa?» chiese Anna.

«Be'... a te non dà noia? Voglio dire... essere così diversa da tutti?»

«No» e guardò Max. Aveva un paio di calzoncini troppo piccoli e li aveva arrotolati per farli sembrare ancora più corti. Sotto il collo della giacchetta era infilata con noncuranza una sciarpa e i capelli erano pettinati in modo diverso dal solito.

«Sembri proprio un ragazzo francese» osservò

Anna. Per un attimo il viso di Max si illuminò. Poi disse: «Ma non so parlare come loro.»

«Per forza, dopo così poco tempo. Ma prima o poi parleremo tutti e due bene il francese, vedrai.»

Max continuò ad avere un'espressione dura in viso, poi disse: «Per quanto mi riguarda, sarà decisamente prima che dopo!»

Aveva un'aria così caparbia che persino Anna, che lo conosceva bene, fu sorpresa della risolutezza con cui lo disse.

Capitolo sedici

Un giovedì pomeriggio, qualche settimana dopo che Anna aveva cominciato la scuola, lei e la mamma andarono a trovare la prozia Sarah. La prozia Sarah era la sorella di Omama, ma aveva sposato un francese, che adesso era morto, e viveva a Parigi da trent'anni. La mamma, che non la vedeva da quand'era piccola, per l'occasione si mise i suoi abiti migliori. Aveva un'aria molto giovane e graziosa col cappottino elegante e il cappello azzurro con la veletta; mentre camminavano verso l'Avenue Foch, dove abitava la prozia Sarah, molti si voltarono a guardarla.

Anche Anna aveva messo i suoi abiti migliori. Indossava il maglione che le aveva fatto la mamma, calze e scarpe nuove e il braccialetto dello zio Julius, ma la sottana e il cappotto erano terribilmente corti. La mamma sospirò, come sempre, alla vista di Anna vestita per uscire.

«Dovrò chiedere a madame Fernand di fare qualcosa al tuo cappotto» disse. «Se cresci ancora un po', non ti coprirà più neanche le mutande.»

«Cosa può farci madame Fernand?» chiese Anna.

«Non so, cucire una striscia di stoffa intorno all'orlo, o qualcosa del genere» disse la mamma. «Vorrei saper fare queste cose come lei!»

La settimana prima, la mamma e il babbo erano andati a cena dai Fernand e la mamma era tornata piena di ammirazione. Oltre a essere una cuoca meravigliosa, madame Fernand faceva tutti i vestiti per sé e per sua figlia. Aveva ricoperto un divano e cucito per suo marito una bella vestaglia. Gli aveva anche fatto un pigiama, quando lui non aveva trovato nei negozi il colore che voleva.

«E fa tutto con tanta facilità» osservò la mamma, per la quale attaccare un bottone era un'impresa difficilissima, «come se non fosse affatto un lavoro.»

Madame Fernand aveva offerto il suo aiuto anche per i vestiti di Anna, ma alla mamma sembrava di approfittare un po' troppo accettando. Adesso, però, vedendo che Anna spuntava fuori dal cappotto da tutte le parti, aveva cambiato idea.

«Glielo chiederò» decise. «Se mi facesse vedere come si fa, forse riuscirei a farlo da sola.»

Intanto erano arrivate a destinazione. La prozia Sarah viveva in una grande casa situata all'interno della strada. Per arrivarci, attraversarono un cortile alberato. Il portiere che indicò loro l'appartamento indossava un'uniforme coi bottoni d'oro e i cordoni. L'ascensore della prozia Sarah era tutto di cristallo e le portò su velocemente, senza quei cigolii e quegli scossoni a cui Anna era abituata. Aprì la porta una cameriera con grembiule bianco arricciato e cuffietta.

«Avverto la signora che siete arrivate» disse la cameriera, e la mamma si sedette su una seggiolina di velluto, mentre la cameriera entrava in quello che doveva essere un salotto. Mentre apriva la porta, si sentì un brusio di voci e la mamma, con aria preoccupata, disse: «Spero di non avere sbagliato giorno…» Ma quasi subito la porta si spalancò di nuovo e corse fuori la prozia Sarah. Era una vecchia signora robusta, ma si muoveva con trotto veloce, al punto che Anna per un attimo si chiese se sarebbe riuscita a fermarsi davanti a loro.

«Cara!» esclamò, gettando le sue braccia pesanti al collo della mamma «eccoti qui, finalmente! È tanto tempo che non ti vedo… e in Germania sono accadute cose tanto terribili. Però sei sana e salva e questo è l'importante.» Si abbandonò in un'altra seggiolina di velluto, straripando da tutte le parti e disse ad Anna: «Sai che l'ultima volta che ho visto la tua mamma era ancora una bambina? E adesso ha una figlia! Come ti chiami?»

«Anna» rispose Anna.

«Hannah – che bello. Un bel nome ebreo» osservò la prozia Sarah.

«No, Anna» precisò Anna.

«Oh, Anna. È un bel nome lo stesso. Devi scusarmi» disse la prozia Sarah, sporgendosi pericolosamente in avanti verso di lei sulla seggiolina, «ma sono un po' sorda.» Per la prima volta i suoi occhi inquadrarono bene Anna e parve sorpresa. «Per amor del cielo, figlia mia!» esclamò. «Hai delle gambe così lunghe! Non sono gelate?»

«No» rispose Anna. «Ma la mamma dice che se cresco ancora un po', il cappotto non mi coprirà neppure le mutande.»

Non appena le parole le uscirono dalla bocca, desiderò non averle dette. Non era il genere di cose che si dicevano a una prozia appena conosciuta.

«Cosa?» domandò la prozia Sarah.

Anna si sentì arrossire.

«Un momento» disse la prozia Sarah e improvvisamente, da qualche parte della sua persona, tirò fuori un oggetto che pareva una trombetta. «Ecco» disse, mettendo la parte sottile non alla bocca, come Anna si aspettava, ma all'orecchio. «Adesso ripetilo, bambina – ad alta voce – nella cornetta.»

Anna pensò disperatamente di dirle qualcos'altro che pure avesse un significato, ma aveva la testa vuota. Non c'era verso.

«La mamma dice» urlò nella cornetta acustica «che se cresco ancora un po', il cappotto non mi coprirà neppure le mutande!»

Quando ritirò il viso, sentì che era rosso fuoco.

Per un attimo la prozia Sarah sembrò colta di sorpresa. Poi la sua faccia si rilassò e ne uscì un rumore tra il chiocciare e l'ansimare.

«Giusto» gridò, mentre i suoi occhi neri danzavano divertiti. «Tua madre ha proprio ragione! Ma cosa intende farci, eh?» Poi aggiunse, rivolta alla mamma: «Che bambina simpatica, che bambina carina e simpatica hai!» E alzandosi dalla sedia con agilità sorprendente, disse: «Adesso dovete venire a prendere il tè. Ho qui delle vecchie signore che sono venute a giocare a bridge, ma me ne libero presto» e fece strada, al piccolo galoppo, nel salotto. La prima cosa che colpì Anna circa le vecchie amiche della prozia Sarah era che fossero tutte molto più giovani della prozia Sarah.

Erano circa una dozzina, tutte vestite elegantemente, con complicati cappellini. Avevano finito di giocare a bridge – Anna vide i tavolini da gioco appoggiati contro il muro – e adesso stavano bevendo il tè, e mangiavano i biscottini che la cameriera offriva su un vassoio d'argento.

«Vengono tutti i giovedì» bisbigliò la prozia Sarah in tedesco. «Povere vecchine, non hanno niente di meglio da fare. Ma sono tutte ricchissime e mi danno i soldi per i miei bambini bisognosi.»

Anna, che si era appena ripresa dalla sorpresa delle "vecchie" signore, trovò ancora più difficile immaginare la prozia con bambini bisognosi – o, meglio ancora, con dei bambini – ma non ebbe il tempo di pensarci, perché in quel momento veniva presentata a gran voce insieme alla mamma.

«Mia nipote e sua figlia sono venute dalla Germania» strillò la prozia Sarah in francese, ma con forte accento tedesco. «Di' *bongshour*!» bisbigliò ad Anna.

«*Bonjour*» disse Anna.

La prozia Sarah agitò le braccia in alto in segno di ammirazione. «Senti questa bambina!» gridò. «È a Parigi da poche settimane e parla il francese meglio di me!»

Quando una delle signore cercò di intavolare una conversazione con lei, Anna si sentì terribilmente imbarazzata, ma fu salvata per fortuna dalla voce tuonante della prozia Sarah.

«Sono anni che non vedo mia nipote» gridò «e ho molta voglia di chiacchierare con lei.»

Le signore finirono in fretta il tè e cominciarono a prendere commiato. Mentre stringevano la mano alla prozia Sarah, lasciavano cadere dei soldi in una scatola che reggeva e lei le ringraziava. Anna si domandò quanti bambini bisognosi avesse.

La cameriera accompagnò le signore alla porta e finalmente se ne andarono via tutte.

Senza di loro si stava meglio, era più tranquillo, ma Anna notò con dispiacere che con le signore era sparito anche il vassoio d'argento con i biscottini e la cameriera stava portando via le tazze vuote.

La prozia Sarah doveva essersi dimenticata del tè che aveva promesso. Era seduta sul divano con la mamma e le stava raccontando dei suoi bambini bisognosi. Saltò fuori che dopo tutto non erano suoi, ma si trattava di un istituto di beneficenza per il quale raccoglieva soldi, e Anna, che si era subito immaginata la prozia Sarah con una fila di monelli straccioni, si sentì in un certo modo presa in giro. Si dimenava continuamente sulla sedia e la prozia Sarah l'aveva certamente notato, perché improvvisamente si interruppe.

«Questa bambina si annoia e ha fame» esclamò e aggiunse rivolta alla cameriera: «Se ne sono andate via le vecchie?»

La cameriera rispose di sì.

«Benissimo, allora porta il tè vero!» ordinò la prozia Sarah. Un attimo dopo la cameriera tornò, vacillando sotto il peso di un vassoio carico di dolci. C'erano cinque o sei tipi di torte, oltre ai panini imbottiti e ai pasticcini. C'era anche un altro bricco di tè, della cioccolata e panna montata.

«Mi piacciono i dolci» disse la prozia Sarah, in risposta allo sguardo meravigliato della mamma, «ma non vale la pena offrirli a quelle vecchie, stanno tutte attente a seguire la dieta. Così ho pensato di prendere il nostro tè dopo che se ne fossero andate.» Così dicendo, cacciò un'enorme fetta di torta di mele su un piatto, la ricoperse di panna montata e la porse ad Anna.

«La piccola ha bisogno di essere nutrita» disse.

Mentre prendevano il tè, chiese alla mamma del lavoro del babbo e dell'appartamento, e qualche volta la mamma dovette ripeterle le cose nella cornetta acustica.

La mamma parlava di tutto in tono allegro, ma la prozia Sarah continuava a scuotere la testa, dicendo: «Dovere vivere così… un uomo famoso…!» Conosceva tutti i libri del babbo e comprava il *Daily Parisian* proprio per leggere i suoi articoli. Ogni tanto guardava Anna e diceva: «E la bambina… così magra!» e l'assaliva con altre fette di torta. Infine, quando nessuno ce la faceva più a mangiare, la prozia Sarah riemerse dal tavolino da tè e si gettò al solito trotto verso la porta, facendo cenno alla mamma e ad Anna di seguirla. Le condusse in un'altra stanza, piena zeppa di scatole di cartone.

«Guardate» disse «tutto questo me l'hanno dato per i miei bambini bisognosi.»

Le scatole erano piene di stoffe di ogni colore, leggere e pesanti.

«Il marito di una delle vecchie signore è un industriale tessile» spiegò la prozia Sarah. «È molto ricco e mi dà tutti gli scampoli di stoffa che non gli servono. Adesso mi è venuta un'idea: perché non ne diamo qualcuno alla bambina? Dopo tutto sono per i bambini bisognosi e lei non lo è meno degli altri.»

«No, no» disse la mamma «non posso proprio...»

«Ah, sempre così orgogliosa» disse la prozia Sarah. «La bambina ha bisogno di abiti nuovi. Perché non può prendere qualche scampolo?»

Frugò in una scatola e tirò fuori una stoffa di lana di un verde delizioso. «Proprio bello per un cappotto» disse «e ha bisogno anche di un vestito e forse di una sottana...»

In un baleno aveva accatastato sul letto una pila di stoffe, e quando la mamma cercava di rifiutarle, gridava: «Sciocchezze! Vuoi che la polizia arresti la bambina perché va in giro mostrando le mutande?»

Allora la mamma, che comunque non aveva protestato molto violentemente, si mise a ridere e lasciò fare. La cameriera, infine, impacchettò tutto e quando fu l'ora di andare via, avevano tutte e due un grosso pacco da portare.

«Grazie, grazie tante!» strillò Anna nella cornetta della prozia Sarah. «Ho sempre desiderato un cappotto verde!»

«Spero che ti porti fortuna!» le rispose, sempre strillando, la prozia Sarah.

In strada, mentre camminavano nel buio, la mamma e Anna non fecero che parlare dei diversi tagli di stoffa e di quello che potevano farci. Non appena arrivarono a casa, la mamma telefonò a madame Fernand, che fu contenta della notizia e disse che il prossimo giovedì dovevano portare tutto a casa sua per una grande seduta di alta moda.

«Che bello!» proruppe Anna felice. «Non vedo l'ora di dirlo al babbo!» e proprio in quel momento il babbo entrò. Gli raccontò per filo e per segno quello che era successo. «Avrò un cappotto e un vestito» disse tutto d'un fiato «e la prozia Sarah ce li ha dati proprio perché sono per i bambini bisognosi e ha detto che dopo tutto io sono bisognosa come gli altri e ci ha offerto un tè meraviglioso e...»

Si fermò, vedendo una strana espressione sul viso del babbo.

«Cosa vuol dire tutto questo?» chiese alla mamma.

«È come ti ha detto Anna» rispose la mamma in tono circospetto. «La prozia Sarah aveva un sacco di stoffe che le erano state date e ha voluto regalarne qualcuna ad Anna.»

«Ma le erano state date per i bambini bisognosi» osservò il babbo.

«Per modo di dire, lei si interessa di molte opere di carità… è una donna molto generosa…»

«Di carità?» interruppe il babbo. «Ma come hai potuto accettare la carità per nostra figlia?»

«Oh, perché devi sempre fare il difficile?» gridò la mamma. «Quella donna è mia zia e ha voluto che Anna avesse degli abiti; ecco tutto!»

«Davvero, babbo, non credo proprio che l'abbia fatto per qualche motivo che a te non piace» azzardò Anna. Si sentiva così triste che desiderava non aver mai visto quelle stoffe.

«È una parente che vuole fare un regalo ad Anna» continuò la mamma.

«No» disse il babbo. «È il regalo di una parente che si occupa di carità: carità per bambini bisognosi.»

«Va bene, allora, gliele daremo indietro!» gridò la mamma. «Se è questo che vuoi! Ma mi sai dire cosa metterà addosso questa bambina? Sai quanto costano i vestiti dei bambini nei negozi? Guardala, basta guardarla!»

Il babbo guardò Anna e anche lei lo guardò. Aveva tanta voglia di avere dei vestiti nuovi, ma non voleva che il babbo si arrabbiasse. Cercò di tirarsi giù la sottana per farla sembrare più lunga.

«Babbo…» cominciò.

«Hai davvero l'aria un po' bisognosa» osservò il babbo. Sembrava molto stanco.

«Non importa» disse Anna.

«Certo che importa» disse il babbo. «Importa, sì.» Tastò il pacco. «È questa la stoffa?»

Lei fece cenno di sì col capo.

«Be', sarà meglio che tu ci faccia degli abiti nuovi» suggerì il babbo. «Qualcosa che ti tenga caldo» aggiunse, e uscì dalla stanza.

Quella sera, a letto, Anna e Max parlarono nel buio. «Non sapevo che eravamo bisognosi» disse Anna. «Perché lo siamo?»

«Il babbo guadagna poco» disse Max. «Il *Daily Parisian* non ce la fa a pagarlo tanto per i suoi articoli e i francesi hanno i loro giornalisti.»

«Ma in Germania lo pagavano un sacco.»

«Oh, sì.»

Rimasero in silenzio per un momento. Poi Anna disse: «Non è buffo?»

«Cosa?»

«Che credevamo di tornare a Berlino dopo sei mesi. Siamo già via da più di un anno.»

«Lo so» disse Max.

Di colpo, senza nessun motivo, Anna si ricordò della vecchia casa in modo così vivo come se la vedesse. Le parve di correre su per le scale e di vedere la piccola macchia sul tappeto del pianerottolo dove una volta aveva rovesciato un po' d'inchiostro, e di scorgere dalla finestra il pero nel giardino.

Le tende della stanza dei giochi erano azzurre e c'era un tavolo bianco che serviva per scrivere o disegnare e Bertha, la cameriera, lo puliva tutti i giorni e c'erano un sacco di giocattoli… Ma era inutile continuare a pensarci, così chiuse gli occhi e si addormentò.

Capitolo diciassette

La seduta di alta moda in casa Fernand ebbe un grande successo. Madame Fernand era proprio simpatica, come la ricordava Anna, e fu così brava a tagliare la stoffa della prozia Sarah, che dalla stoffa verde riuscì a tirar fuori anche un paio di calzoni corti per Max, oltre al cappotto, al vestito e alla sottana per Anna. Quando la mamma si offrì di aiutarla a cucire, madame Fernand la guardò e si mise a ridere.

«Vai pure a suonare il piano» disse. «Vado avanti io con questo.»

«Ma ho portato anche l'occorrente per cucire» insistette la mamma. Scavò nella borsa e ne trasse trionfante un vecchio rocchetto di filo bianco e un ago.

«Mia cara» le disse molto gentilmente madame Fernand, «non mi fiderei di te neppure per l'orlo di un fazzoletto.»

Così la mamma si mise a suonare il piano in un angolo del simpatico salotto dei Fernand, mentre madame Fernand cuciva dall'altra parte, e Anna e

Max andarono fuori a giocare con Francine, la figlia dei Fernand.

Prima di andare a casa loro, Max aveva avuto seri dubbi su Francine.

«Non voglio giocare con una bambina!» aveva detto, e insisteva di non potere andare per via dei compiti.

«Non sei mai stato così attaccato ai tuoi compiti prima d'ora!» si era arrabbiata la mamma, ma era ingiusto, perché ultimamente, nel suo sforzo per imparare il francese rapidamente, Max era diventato molto più coscienzioso nello studio. Si era offeso alle parole della mamma e guardava tutti con rabbia, finché arrivarono dai Fernand e Francine aprì la porta. Allora di colpo la sua rabbia sparì. Era una bambina molto carina, con lunghi capelli biondi e grandi occhi grigi.

«Tu sei Francine» disse Max e aggiunse, mentendo spudoratamente, ma con un perfetto accento francese: «Avevo tanta voglia di conoscerti!»

Francine aveva molti giocattoli e un grosso gatto bianco. Il gatto si impossessò immediatamente di Anna e si sedette sulle sue ginocchia, mentre Francine cercava qualcosa nell'armadio dei giocattoli. Finalmente lo trovò.

«Questo l'ho ricevuto per il mio compleanno» disse, e mostrò una scatola di giochi, molto simile a quella che Anna e Max avevano lasciato in Germania. Gli occhi di Max incontrarono quelli di Anna, sopra la bianca pelliccia del gatto.

«Posso darle un'occhiata?» chiese Max e l'aprì prima ancora che Francine avesse il tempo di rispondere. Esaminò a lungo il contenuto, maneggiando i dadi, gli scacchi e i vari tipi di carte.

«Anche noi avevamo una scatola di giochi come questa» disse infine. «La nostra però aveva anche il domino.»

Francine rimase un po' male nel sentire sminuire il suo regalo di compleanno.

«E cos'è successo alla vostra scatola?» chiese.

«Abbiamo dovuto lasciarla a casa, in Germania» spiegò Max e aggiunse tristemente: «Forse Hitler adesso ci sta giocando.» Francine si mise a ridere. «Allora dovrai usare la mia» disse. «Sono sola, non ho fratelli e sorelle, e così non mi capita spesso di giocare con qualcuno.»

Giocarono a ludo e al gioco dell'oca tutto il pomeriggio. Era bello perché il gatto bianco stava acciambellato sulle ginocchia di Anna e mentre giocavano lei non doveva fare lo sforzo di parlare-francese. Il gatto bianco pareva felice di sentire lanciare i dadi sopra la sua testa e non voleva scendere quando madame Fernand chiamò Anna perché provasse i suoi vestiti nuovi. A merenda, Anna gli diede un pezzetto di pasticcino glassato e lui dopo le si accoccolò di nuovo sulle ginocchia, sorridendole attraverso il lungo pelo bianco. Quando fu ora di andare, la seguì fino alla porta.

«Che bel gatto» disse la mamma quando lo vide. Anna voleva raccontarle che si era seduto sulle sue ginocchia mentre giocava a ludo, ma le sembrava scortese parlare in tedesco davanti a madame Fernand che non lo capiva. Così, con qualche esitazione, glielo raccontò in francese.

«Mi sembrava che avessi detto che Anna parlava pochissimo il francese» osservò madame Fernand.

La mamma parve compiaciuta. «Comincia ora» disse.

«Comincia ora!» esclamò madame Fernand. «Non ho mai visto due ragazzi imparare così presto una lingua. Max a volte sembra proprio un ragazzo francese e in quanto ad Anna, riusciva a malapena a dire una parola o due un mese fa e adesso capisce tutto!»

Non era proprio così. C'erano ancora tante cose che Anna non capiva, ma quelle parole le fecero lo stesso molto piacere. L'aveva talmente colpita il rapido progresso di Max che non si era accorta di quanto lei stessa fosse migliorata.

Madame Fernand voleva che andassero ancora tutti da lei la domenica successiva, così che Anna potesse fare un'ultima prova, ma la mamma disse che sarebbero dovuti andare tutti da loro. Cominciò allora una serie di visite che entrambe le famiglie trovarono così piacevoli che divennero presto una regolare abitudine.

Il babbo in particolare godeva della compagnia di monsieur Fernand. Era un uomo alto e robusto, dall'aria intelligente, e spesso, quando i bambini giocavano in sala, Anna sentiva la sua voce profonda e quella del babbo nella stanza vicina, che fungeva da salotto. Pareva che avessero argomenti a non finire di cui parlare e a volte Anna li sentiva ridere forte. Questo la rallegrava, perché le era molto dispiaciuto vedere quell'espressione stanca sul viso del babbo la volta della prozia Sarah. Da allora aveva notato che quell'espressione

tornava sul suo viso di tanto in tanto: per esempio quando la mamma parlava di soldi. Monsieur Fernand riusciva sempre a far sorridere il babbo.

Presto gli abiti nuovi di Anna furono pronti ed erano i più belli che avesse mai avuto. La prima volta che li indossò, andò a farli vedere alla prozia Sarah, portando con sé una poesia che aveva composto proprio per ringraziarla. Descriveva dettagliatamente tutti i vestiti e finiva dicendo: «E così io sono la felice indossatrice dei bei vestiti, di cui zia Sarah fu la donatrice.»

«Cielo, bambina mia!» proruppe la prozia Sarah quando la lesse. «Diventerai una famosa scrittrice, come tuo padre!»

Era molto contenta.

Anche Anna era contenta, perché la poesia chiariva che il regalo della stoffa non era stato un atto di carità, e inoltre era la prima volta che lei era riuscita a scrivere una poesia che avesse come argomento qualcosa di diverso da una sciagura.

Capitolo diciotto

La primavera arrivò d'un tratto, in aprile e, sebbene Anna volesse continuare a portare il bel cappotto verde che le aveva fatto madame Fernand, presto si accorse che era diventato troppo pesante.

Era una delizia andare a scuola a piedi in quelle mattinate splendenti di sole e poiché i parigini aprivano le finestre per fare entrare l'aria tiepida, ne uscivano ogni sorta di odori che si mischiavano al profumo di primavera nelle strade. Oltre alla solita zaffata d'aria calda impregnata d'aglio che saliva dal metrò, improvvisamente Anna si sentì avvolgere da deliziosi profumi di caffè, pane appena sfornato, o cipolle rosolate per la colazione. Con l'avanzare della primavera, non solo le finestre, ma anche le porte si aprivano, e mentre percorreva le strade inondate di sole, intravedeva l'interno in penombra di caffè e negozi, che per tutto l'inverno erano stati chiusi.

La gente camminava lentamente al sole, e i marciapiedi degli Champs Elysées si trasformarono in un mare di tavolini e sedie tra i quali svolazzavano i camerieri in giacca bianca che servivano bevande ai clienti.

Il primo di maggio era chiamato il giorno del mughetto. A ogni angolo di strada apparvero cesti pieni di mazzettini bianchi e verdi e dappertutto si rincorrevano i richiami dei venditori. Quella mattina il babbo aveva un appuntamento presto e fece un pezzo di strada con Anna, che andava a scuola.

Si fermò a un chiosco da un vecchio signore, per comprare il giornale. In prima pagina c'era una fotografia di Hitler che faceva un discorso. Il vecchio lo ripiegò così che Hitler scomparve. Poi annusò soddisfatto l'aria e sorrise, mostrando un dente.

«C'è odore di primavera!» disse.

Anche il babbo sorrise pensando, Anna ne era certa, che era bello trascorrere la primavera a Parigi. Girato l'angolo, comprarono dei mughetti per la mamma, senza neppure chiedere prima quanto costassero.

La scuola sembrava tetra e fredda dopo tutto quello splendore fuori, ma Anna ogni mattina vedeva con gioia Colette, che era diventata la sua amica del cuore, e l'insegnante, madame Socrate. Sebbene le riuscisse ancora faticoso stare tutto il giorno a scuola, cominciava a capire qualcosa di quel che dicevano. Gli errori che faceva nei dettati si andavano via via riducendo a cinquanta anziché cento. Madame Socrate l'aiutava sempre nell'intervallo di mezzogiorno, e qualche volta, adesso, riusciva persino a rispondere alle domande in classe.

A casa, la mamma stava diventando davvero una brava cuoca, con l'aiuto dei consigli di madame Fernand, e il babbo assicurava di non avere mai mangiato così bene in vita sua. I ragazzi imparavano a gustare cibi che non avevano mai mangiato prima di allora e durante i pasti bevevano vino mischiato ad acqua, come i ragazzi francesi. Anche la grassa Clothilde, a scuola, approvava i piatti che Anna portava a scaldare in cucina.

«Tua madre cucina proprio bene» diceva, e la mamma era felice quando Anna glielo raccontava.

Soltanto Grete continuava a essere di cattivo umore, con la faccia lunga. Qualsiasi cosa preparasse la mamma, lei lo paragonava con disprezzo alla versione austriaca dello stesso piatto, e se si trattava di qualcosa che non c'era in Austria, Grete era dell'idea che non lo si dovesse affatto mangiare. Opponeva una formidabile resistenza a tutto quello che era francese e non faceva alcun progresso nella lingua, sebbene andasse ogni giorno a scuola. Dal momento che le promesse che aveva fatto a sua madre continuavano a impedirle di essere di alcun aiuto alla mamma, tutti, compresa Grete, non vedevano l'ora che tornasse definitivamente in Austria.

«E prima sarà meglio è» diceva madame Fernand, che aveva avuto modo di osservare Grete da vicino, perché le due famiglie continuavano a passare insieme la maggior parte delle domeniche. Quando la primavera si volse all'estate, invece di incontrarsi a casa, andavano al Bois de Boulogne, che era un grande parco non troppo lontano, dove i ragazzi giocavano a palla sui prati. Un paio di volte monsieur Fernand si fece prestare l'automobile da un amico e li portò tutti in campagna a fare un picnic. In tali occasioni, con grande gioia di Anna, andò anche il gatto. Non gli dava noia il guinzaglio e mentre Francine chiacchierava con Max, Anna era orgogliosa di prenderlo in consegna, tenendo stretto il guinzaglio quando voleva arrampicarsi su un albero o un palo della luce e seguendolo con il guinzaglio teso sulla testa, quando decideva di camminare in cima a qualche cancellata anziché lungo il fondo.

In luglio il caldo si fece tremendo, molto più caldo di quanto non fosse mai stato a Berlino. Nel piccolo appartamento non c'era un filo d'aria, benché la mamma tenesse sempre aperte le finestre. Specialmente nella stanza dei bambini si soffocava e fuori nel cortile c'era più caldo che dentro. La notte non si riusciva a dormire e a scuola nessuno più riusciva a concentrarsi. Anche madame Socrate era stanca. I suoi ricci, dal gran caldo, pendevano miseramente e tutti non vedevano l'ora che finisse il trimestre.

Il 14 luglio era festa non soltanto per le scuole,

ma per tutta la Francia. Era l'anniversario della Rivoluzione francese, dappertutto sventolavano le bandiere e la sera c'erano i fuochi d'artificio. Anna e Max andarono a vederli con i loro genitori e i Fernand. Presero la metropolitana, affollata di gente allegra, e in mezzo a una folla di parigini salirono una lunga scalinata fino a una chiesa in cima a una collina. Da lì si dominava tutta Parigi e quando i fuochi d'artificio cominciarono a brillare contro l'azzurro scuro del cielo, tutti si misero a gridare e ad applaudire. Alla fine dell'esibizione, qualcuno intonò la *Marseillaise*, altri si unirono, e ben presto tutta l'enorme folla cantava nell'aria calda della notte. «Forza ragazzi!» gridò monsieur Fernand, e anche Anna e Max cantarono.

Anna trovava meraviglioso questo canto, in particolare un pezzo lento che si inframmezzava inaspettatamente, e le dispiacque quando cessò. Infine, lentamente, la folla cominciò a disperdersi giù per la scalinata e la mamma disse: «A casa, a letto.»

«Ma non può mandarli a letto adesso! È il 14 luglio!» esclamò monsieur Fernand. La mamma protestò che era tardi, ma i Fernand per tutta risposta scoppiarono a ridere. «È il 14 luglio» dissero, a mo' di spiegazione. «La serata è appena cominciata!» La mamma guardò incerta le facce eccitate dei bambini. «Ma cosa...?» cominciò.

«Prima di tutto, andiamo a mangiare qualcosa» decise monsieur Fernand.

Anna aveva l'impressione di avere già cenato, perché prima di uscire avevano mangiato le uova sode, ma era chiaro che monsieur Fernand non pensava a questo genere di cibo. Li portò in un grande ristorante pieno di gente, si sedettero a un tavolo fuori e ordinò da mangiare.

«Lumache per i ragazzi che non le hanno mai assaggiate!» disse monsieur Fernand.

Max fissò con orrore la sua porzione e non riuscì neppure a toccarne una. Ma Anna, spinta da Francine, le assaggiò e trovò che avevano il gusto delizioso di un fungo. Lei e Francine finirono col mangiarsi anche le lumache di Max. Verso la fine del pasto, mentre erano alle prese con delle sfogliatelle ripiene di crema, arrivò un vecchio con sgabello e fisarmonica. Si sedette e cominciò a suonare e subito qualcuno si alzò da tavola e si mise a ballare in strada. Un marinaio dall'aria molto allegra si parò davanti alla mamma e la invitò a ballare. La mamma dapprima fu sorpresa, ma poi accettò e Anna la guardò mentre volteggiava intorno, con l'espressione ancora sorpresa, ma contenta. Poi monsieur Fernand ballò con Francine e Anna col babbo, mentre madame Fernand disse che non le andava di ballare, avendo notato che Max era semplicemente terrorizzato all'idea; dopo un po' monsieur Fernand propose: «Facciamo quattro passi.»

Adesso faceva più fresco e Anna non si sentiva affatto stanca, mentre giravano per le strade affollate. Dappertutto c'erano fisarmoniche e gente che ballava, a cui ogni tanto si univano.

Alcuni locali servivano il vino gratis, per festeggiare l'anniversario. I grandi, quando volevano riposarsi, si fermavano a bere e i ragazzi prendeva-

no il cassis, che era un succo di ribes. A un tratto videro il fiume brillare sotto la luna e in mezzo troneggiava la cattedrale di Notre Dame, come una figura scura, gigantesca. Per un po' camminarono lungo l'argine e sotto i ponti, e anche lì c'era chi suonava la fisarmonica e gente che ballava. Continuarono a camminare, finché Anna perse la nozione del tempo e continuò a seguire monsieur Fernand, felice e stupita.

Improvvisamente Max domandò: «Cos'è quella strana luce in cielo?» Era l'alba.

A quel punto erano arrivati al grande mercato di Parigi e tutt'intorno sull'acciottolato rotolavano i carri carichi di frutta e verdura.

«Fame?» chiese monsieur Fernand.

Era ridicolo, perché avevano già mangiato due volte, ma erano tutti affamati. Qui non c'erano fisarmoniche e persone che ballavano, soltanto gente che si preparava a una giornata di lavoro, e una donna in un piccolo caffè stava servendo ciotole fumanti di zuppa di cipolle. Seduti sulle panche con quelli del mercato ne mangiarono parecchie ciotole piene, che ripulirono con grossi pezzi di pane. Quando uscirono dal caffè era giorno.

«Adesso potete mettere i bambini a letto» disse monsieur Fernand. «Hanno visto il 14 luglio.»

Mezzo addormentati, salutarono e tornarono a casa col *métro* tra nottambuli come loro e gente che andava al lavoro, e una volta arrivati crollarono a letto.

«Non abbiamo mai festeggiato così un 14 luglio in Germania» mormorò Anna, prima di addormentarsi.

«Sfido io!» ribatté Max. «Non abbiamo neanche avuto la Rivoluzione francese!»

«Lo so!» rispose Anna arrabbiata e aggiunse, sopraffatta dal sonno: «Ma era così bello!»

E, finalmente, ecco le vacanze estive. Proprio mentre si chiedevano come passarle, arrivò una lettera dal signor Zwirn che invitava tutta la famiglia alla sua pensione; e proprio quando si chiedevano dove avrebbero trovato i soldi per il viaggio, il babbo fu incaricato di scrivere tre articoli per un giornale francese. Lo pagarono molto di più di quanto ricevesse di solito dal *Daily Parisian*, e così il problema fu risolto.

Erano tutti felici all'idea, e in più, l'ultimo giorno di scuola, Max portò a casa una buona pagella. La mamma e il babbo non credevano ai loro occhi quando la videro. Non c'era neanche un "Non si impegna" o "Non mostra sufficiente interesse". C'erano invece parole come "intelligente" e "studioso" e il giudizio del preside, in fondo al foglio, diceva tra l'altro che Max aveva fatto notevoli progressi. La mamma era così felice che fu persino affettuosa nel salutare Grete, che finalmente tornava in Austria. Erano tutti così contenti di liberarsi di lei, tanto da provarne rimorso. La mamma le regalò una sciarpetta.

«Non so se in Austria si porta questa roba» osservò Grete con la faccia lunga, quando la vide, ma comunque la prese.

Dopodiché Anna e famiglia partirono per la Svizzera.

La pensione Zwirn non era cambiata per nulla. I signori Zwirn erano gentili e ospitali come sempre, e dopo il caldo terribile di Parigi, l'aria del lago era fresca e deliziosa. Era bello sentire di nuovo il dialetto svizzero-tedesco e poter capire tutto quello che diceva la gente, e non solo la metà, come succedeva in Francia. Franz e Vreneli, poi, erano pronti a riprendere i legami di amicizia con Anna e Max esattamente da dove li avevano lasciati.

In un batter d'occhio, Vreneli aveva messo al corrente Anna delle mosse del Rosso che, a quanto pareva, aveva cominciato a guardare Vreneli in un certo modo – un modo dolce, diceva lei – che non riusciva a descrivere, ma che indubbiamente le faceva piacere.

Franz portò Max a pescare con la stessa vecchia canna da pesca, e tutti insieme giocarono gli stessi giochi e camminarono lungo gli stessi sentieri nei boschi, dove l'anno prima si erano così divertiti.

Tutto era esattamente come prima, eppure c'era qualcosa, proprio perché tutto era uguale, che faceva sentire Anna e Max un po' come estranei. Come poteva la vita degli Zwirn essere stata la stessa, mentre la loro era così cambiata?

«Pensavo che qualcosa fosse cambiato» osservò Max, e Franz chiese: «Che cosa?» Ma neanche Max lo sapeva. Un giorno Anna camminava in paese con Vreneli e Roesli, quando incontrarono il maestro Graupe.

«Bentornata nella nostra magnifica Svizzera!»

la salutò il maestro, stringendole la mano con entusiasmo, e le fece subito un sacco di domande sulla scuola in Francia. Era convinto che non ci fosse scuola che potesse reggere al confronto con la sua, e Anna quasi si scusò dovendo ammettere che della nuova scuola le piaceva tutto.

«Davvero?» ribatté incredulo il maestro Graupe mentre lei gli raccontava quello che faceva a scuola, i pasti consumati in cucina con Clothilde e tutto su madame Socrate.

Poi le capitò una cosa buffa. Il maestro Graupe le aveva chiesto qualcosa circa l'età in cui si smetteva di andare a scuola in Francia e lei non lo sapeva; ma invece di rispondergli in tedesco, si sorprese a dire, stringendosi nelle spalle: «*Je ne sais pas*» nel suo migliore accento parigino.

Ne fu subito inorridita. Lui avrebbe certamente pensato che l'aveva detto per darsi delle arie. Ma non era vero. Non capiva neanche da dove le erano venute quelle parole. Era come se dentro di lei qualcosa stesse pensando in francese, ed era semplicemente ridicolo. Dal momento che non era mai stata capace di pensare in francese a Parigi, perché doveva cominciare proprio ora?

«Vedo che stiamo già diventando francesi» notò con disapprovazione il maestro Graupe, quando si furono entrambi ripresi dalla sorpresa alla sua risposta.

«Bene, non voglio trattenerti.» E in fretta si allontanò.

«Immagino che adesso parlerai francese come niente» disse infine Vreneli.

«No» rispose Anna «Max è molto più bravo di me.»

«Io so dire *oui*; mi pare che voglia dire sì, vero?» disse Roesli. «Ci sono delle montagne in Francia?»

«Vicino a Parigi, no» rispose Anna.

Vreneli osservava Anna con aria pensierosa. Poi disse: «Sai, sei diversa adesso.»

«Non è vero!» rispose Anna indignata.

«Ma sì» insisté Vreneli «non so perché, ma sei cambiata.»

«Non dire stupidaggini, non è vero!» ripeté Anna. Ma sapeva che Vreneli aveva ragione e d'un tratto, benché avesse soltanto undici anni, si sentì vecchia e triste.

Il resto delle vacanze passò abbastanza allegramente. I ragazzi facevano il bagno e giocavano con gli Zwirn, e anche se non era proprio come prima, era sempre molto piacevole. Dopo tutto, cosa importava, disse Max, se non appartenevano più del tutto a quel mondo? Alla fine dell'estate dispiaceva a tutti partire, e si separarono dai loro amici con un lungo, affettuoso saluto. Ma Anna e Max sentirono che tornare a Parigi era come tornare a casa propria, molto di più di quanto avessero sperato.

Capitolo diciannove

Quando Anna tornò a scuola scoprì che era stata promossa. Madame Socrate era sempre la sua insegnante, ma il lavoro, di colpo, era diventato più faticoso. La sua classe era impegnata in un esame chiamato *certificat d'études* che tutti, tranne Anna, preparavano per l'estate successiva.

«Io sono esentata perché non sono francese» disse Anna alla mamma, «e a ogni modo non potrei certo passare.»

Ma doveva studiare lo stesso.

Le sue compagne di scuola dovevano esercitarsi almeno un'ora ogni giorno a casa dopo la scuola, per imparare a memoria pagine intere di storia e geografia, fare temi e studiare grammatica; e Anna doveva fare tutto in una lingua di cui non era ancora completamente padrona. Anche l'aritmetica, nella quale aveva sempre brillato, ora era diventata impossibile. Invece di operazioni, che non richiedevano traduzione, adesso in classe si facevano problemi lunghi e complicati: garbugli di gente che scavava fossi, si passava secchi di mano in mano, riempiva serbatoi d'acqua a una velocità, mentre li svuotava a un'altra; e tutto questo lei lo doveva tradurre in tedesco prima ancora di poter cominciare a pensarci.

Via via che diventava più freddo e le giornate si facevano più buie, cominciò a sentirsi molto stanca. Tornando da scuola trascinava i piedi e a casa sedeva davanti ai compiti e restava a guardarli, incapace di farli.

Ormai era scoraggiata. Madame Socrate, tutta presa dal prossimo esame, non poteva più dedicarle molto tempo e il suo lavoro, anziché migliorare, pareva peggiorare. Malgrado i suoi sforzi, non riusciva a ridurre gli errori nei dettati a meno di quaranta: anzi, ultimamente erano di nuovo saliti fino a cinquanta.

In classe, anche se spesso sapeva le risposte, le ci voleva talmente tanto a tradurle mentalmente in francese, che di solito era troppo tardi per rispondere. Sentiva che ormai non ce la faceva più ed era stanca di tentare.

Un giorno, mentre era seduta davanti ai compiti, la mamma entrò nella sua stanza.

«Hai finito?» le domandò.

«Non ancora» rispose Anna.

La mamma allora diede un'occhiata al quaderno. Era un compito d'aritmetica e tutto quello che Anna aveva scritto era la data e "Problemi" in cima alla pagina. Con un righello aveva racchiuso la parola "Problemi" in una specie di cornice, intorno alla quale aveva tracciato una linea ondeggiante con l'inchiostro rosso. Poi l'aveva decorata con tanti puntini e circondata con una linea a zigzag e di nuovo puntini azzurri. Le ci era voluta quasi un'ora.

A questa vista, la mamma esplose. «Non c'è da meravigliarsi se non sai fare i compiti!» gridò. «Li rimandi e li rimandi finché sei così stanca che non riesci più a raccapezzarti! Di questo passo non imparerai niente!»

Era quello che pensava anche lei, e scoppiò in lacrime. «Mi sforzo, ma non riesco a fare niente!» singhiozzava. «È così difficile! Continuo a provarci, ma è inutile.» E in un altro scoppio di pianto versò lacrime sopra la parola "problemi" così il foglio si raggrinzò e la linea ondeggiante si sparse, confondendosi con quella a zigzag.

«Ma certo che ci riesci!» disse la mamma, allungando la mano verso il quaderno. «Senti, se io ti aiuto...»

Ma Anna gridò: «No!» con violenza e spinse lontano il quaderno che balzò via dalla tavola sul pavimento.

«Bene; oggi non sei certo in grado di fare i compiti» disse la mamma dopo un attimo di silenzio e uscì dalla stanza.

Anna stava pensando cosa doveva fare, quando la mamma tornò con su il cappotto.

«Devo comprare del merluzzo per cena» disse. «Vieni con me, così prendi un po' d'aria.»

Camminarono per strada senza parlare. Era freddo e buio e Anna camminava faticosamente accanto alla mamma con le mani in tasca. Si sentiva svuotata. Era una buona a nulla. Non avrebbe mai imparato a parlare bene il francese. Era come Grete, che non ci era mai riuscita, ma a differenza di Grete, lei non poteva tornare al suo paese, nella sua casa. A questo pensiero, ricominciò a sbattere le palpebre e a tirare su col naso e la mamma dovette afferrarla per un braccio, per impedire che andasse a sbattere contro una vecchia signora. Il pescivendolo era poco lontano, in una strada piena di luci e di traffico. Lì vicino c'era anche una pasticceria, le cui vetrine erano piene di dolci meravigliosi, che si potevano comperare e portare via oppure consumare seduti a uno dei tavolini all'interno. Anna e Max l'avevano ammirata spesso, ma nessuno dei due ci aveva mai messo piede, perché era troppo cara.

Questa volta Anna era troppo avvilita anche per guardarla, ma la mamma si fermò vicino alla grossa porta a vetri. «Entriamo un momento» disse, con grande sorpresa di Anna, e la spinse dentro. Furono avvolte da un piacevole tepore e da un profumo delizioso di paste e cioccolata.

«Io prendo una tazza di té e tu una pasta» disse la mamma, «poi parliamo un po'.»

«Non costa troppo?» chiese Anna con una vocina tremolante di pianto.

«Ce la facciamo per una pasta» rispose la mamma, «ma sarà meglio che tu non scelga una di quelle grosse, altrimenti non mi basteranno più i soldi per il merluzzo.»

Anna scelse una pasta farcita di crema di castagne e panna, e si sedettero a un tavolino.

«Senti» disse la mamma, mentre Anna affondava la forchettina nel dolce, «so che a scuola è difficile per te e che ti sei sforzata. Ma cosa dobbiamo fare? Siamo in Francia e dobbiamo imparare il francese.»

«Sono così stanca» rispose Anna «e peggioro invece di migliorare. Forse sono una di quelle persone che non riescono a imparare le lingue.»

La mamma ribatté subito: «Sciocchezze! È impossibile alla tua età!»

Anna addentò un pezzetto di dolce. Era delizioso.

«Lo vuoi assaggiare?» chiese.

La mamma scosse il capo.

«Finora sei andata molto bene» disse dopo un po'. «Mi dicono tutti che il tuo accento è perfetto e che hai imparato moltissimo, considerando che non siamo qui neanche da un anno.»

«Ma adesso non riesco più ad andare avanti!» si lamentò Anna.

«Ci riuscirai!» insistette la mamma.

Anna abbassò gli occhi sul piatto.

«Senti» disse la mamma, «queste cose non vanno sempre come si vuole. Quando studiavo musica, mi capitava di faticare per settimane su qualcosa, senza riuscire in niente; e poi, d'un tratto, quando ormai non ci speravo più, tutto diventava chiaro e non riuscivo a capire perché non c'ero arrivata prima. Forse sarà lo stesso col tuo francese.»

Anna non disse niente. Nel suo caso, non le pareva molto probabile. Poi la mamma parve giungere a una decisione.

«Senti cosa faremo» disse. «Mancano soltanto due mesi a Natale. Vuoi sforzarti ancora un po'? Se per Natale sentirai che non è cambiato nulla, allora faremo qualcosa. Non so bene che cosa, perché non abbiamo soldi per pagare tasse scolastiche, ma ti prometto che penserò a qualcosa. Va bene?»

«Va bene» disse Anna.

Il dolce era veramente buono, e quando ebbe finito la crema di castagne, Anna si sentì di assomigliare a Grete molto meno di prima. Rimasero sedute al tavolino ancora un po': si stava così bene!

«È bello andare fuori a prendere il tè con mia figlia» disse infine la mamma, e sorrise.

Anche Anna sorrise.

Il conto era più salato di quanto si aspettassero e non rimasero soldi per il merluzzo, ma la mamma comprò qualcos'altro e andò bene lo stesso. La mattina dopo consegnò ad Anna un biglietto per madame Socrate a proposito dei compiti che Anna non aveva fatto. Doveva aver scritto qualche altra cosa, perché madame Socrate disse ad Anna di non preoccuparsi della scuola e trovò ancora il tempo per aiutarla nell'intervallo del pranzo.

In seguito, le cose andarono meglio. Tutte le volte che le sembrava di non farcela più, Anna si ricordava che, se le era veramente impossibile, non doveva per forza continuare a provarci, e allora di solito scopriva che, dopo tutto, ce la faceva.

E poi un giorno tutto cambiò. Era un lunedì mattina e Colette incontrò Anna vicino al cancello di scuola. «Cos'hai fatto domenica?» domandò, e invece di tradurre mentalmente la domanda in tedesco, decidendo la risposta, per poi tradurla in francese, Anna rispose subito: «Siamo andati a trovare degli amici.»

Le parole sembravano venire da non si sa dove, in perfetto francese, senza che lei dovesse pensarci. Ne fu così sorpresa che rimase immobile e non sentì neanche cosa le domandava Colette.

«Ehi, dico, hai portato fuori il gatto?» ripeté Colette.

«No, pioveva troppo» rispose Anna, ancora in un francese perfetto e senza pensarci.

Era un miracolo. Non poteva credere che fosse vero. Era come se improvvisamente avesse scoperto che poteva volare e da un momento all'altro si aspettasse di piombare di nuovo a terra. Andò in classe col cuore che le batteva più forte che mai, ma il miracolo continuava.

Alla prima ora rispose correttamente a quattro domande e madame Socrate la guardò sorpresa e commentò: «Benissimo!»

A ricreazione chiacchierò e rise con Colette e nell'intervallo del pranzo spiegò a Clothilde come la sua mamma cucinava il fegato con le cipolle. Un paio di volte esitò e naturalmente fece degli errori. Ma quasi sempre parlò in francese proprio come in tedesco: automaticamente e senza bisogno di pensarci. Alla fine della giornata era così eccitata che non ragionava più, ma non era affatto stanca, e quando si svegliò la mattina dopo, fu presa dal terrore.

E se questo nuovo talento fosse svanito all'improvviso, così come era venuto? Ma non c'era da preoccuparsi. Quando fu a scuola, si accorse che andava ancora meglio di prima.

Alla fine della settimana, la mamma la guardò meravigliata.

«Non ho mai visto un cambiamento simile» disse. «Qualche giorno fa eri pallida e depressa. Adesso sembri cresciuta per lo meno di cinque centimetri e sei bella colorita. Cosa ti è successo?»

«Finalmente ho imparato il francese» rispose Anna.

Capitolo venti

Per Natale i soldi erano ancora meno dell'anno prima, ma era più divertente adesso, perché c'erano i Fernand. In Francia la grande festa non si fa a Natale, ma l'ultimo dell'anno, quando ai bambini è permesso stare alzati fino a mezzanotte.

Si riunirono a casa dei Fernand per una cena speciale e si scambiarono i regali. Anna aveva comprato, con i suoi soldi, un po' di cioccolato da regalare al gatto bianco e dopo cena, invece di giocare con Max e Francine, rimase in sala da pranzo e gli mise i pezzettini di cioccolato per terra. La mamma e madame Fernand lavavano i piatti in cucina, mentre il babbo e monsieur Fernand, seduti in poltrona, bevevano il cognac, immersi in una delle loro interminabili discussioni.

Il babbo sembrava molto interessato a quel che stavano dicendo e Anna era contenta perché quel mattino, quando era arrivata una cartolina dello zio Julius, era diventato silenzioso e triste. A intervalli irregolari, durante l'anno, erano arrivate cartoline dello zio Julius, e benché non contenessero mai notizie vere e proprie, erano però sempre piene di affetto. Qualche volta scherzava e c'erano sempre messaggi per la "zia Alice", ai quali il babbo rispondeva.

Questa cartolina era indirizzata come al solito ad Anna, ma non c'era nessun riferimento alla "zia Alice", neanche gli auguri di Buon Anno. Rappresentava degli orsi e dietro lo zio Julius aveva scritto semplicemente: "Più conosco gli uomini e più amo gli animali." Non aveva neppure messo le sue iniziali, come di solito faceva, ma loro avevano riconosciuto lo stesso la sua calligrafia bella e chiara.

Il babbo l'aveva letta senza dire nulla e l'aveva riposta con le altre lettere e cartoline dello zio Julius, nel cassetto della sua scrivania.

Non aveva più detto una parola per il resto della giornata, e adesso faceva piacere vederlo animarsi nella conversazione con monsieur Fernand.

«Ma tu vivi in un paese libero, è questo che conta!» stava dicendo.

«Sì, ma…» replicava monsieur Fernand, preoccupato per la crisi.

La crisi era l'unica cosa che riusciva a scoraggiare monsieur Fernand e, sebbene Anna avesse più volte chiesto cosa fosse, nessuno glielo aveva spiegato bene. Si trattava di qualcosa che era capitato in Francia e voleva dire che c'erano meno soldi per tutti e meno lavoro, e aveva causato il licenziamento dal giornale di alcuni colleghi di monsieur Fernand. Tutte le volte che lui parlava della crisi, il babbo gli ricordava che viveva in un paese libero e questa volta, forse per via dello zio Julius, le sue parole erano più eloquenti del solito.

Per un po' monsieur Fernand discusse con lui, poi, improvvisamente, si mise a ridere. Il gatto bianco, sorpreso dal rumore, spalancò la bocca e lasciò cadere un pezzo di cioccolato. Quando Anna rialzò la testa, monsieur Fernand stava riempiendo il bicchiere del babbo e gli batteva una mano sulla spalla.

«È buffo» diceva, «stai tentando di mettere in luce gli aspetti più positivi della situazione, proprio tu che hai da preoccuparti più di tutti noi!»

La mamma e madame Fernand entrarono nella stanza e presto arrivò la mezzanotte e tutti, bambini compresi, brindarono all'anno nuovo.

«Viva il 1935!» esclamò monsieur Fernand e tutti ripeterono in coro: «Viva il 1935!»

«Alla nostra salute e ai nostri amici» disse piano il babbo e Anna sapeva che stava pensando allo zio Julius.

In febbraio, la mamma si ammalò d'influenza e proprio quando stava guarendo, la portinaia si ammalò a una gamba. Una vera sfortuna. Dopo la partenza di Grete, la mamma faceva gran parte delle faccende da sé, ma la portinaia saliva un'ora al giorno per le pulizie più grosse. Adesso la mamma si doveva arrangiare da sola. Anche nei momenti migliori, non le piacevano le faccende domestiche; adesso si sentiva depressa, come capita dopo l'influenza, e il peso delle pulizie, della cucina, dei panni da lavare, stirare e rammendare le era semplicemente insopportabile.

Anna e Max l'aiutavano con qualche lavoretto, come fare la spesa e vuotare la spazzatura, ma naturalmente la maggior parte dei lavori ricadeva sulle sue spalle e lei si lamentava continuamente.

«Non mi pesa cucinare» diceva, «ma continuare a lavare, stirare e rammendare... ci vuole tanto tempo e non si finisce mai!»

Il babbo non era di nessun aiuto. Non aveva la minima idea di quello che bisognava fare in una casa e quando la mamma si lamentava di essere stanca per tutte le lenzuola che aveva stirato, lui ingenuamente se ne meravigliava.

«Ma perché ti dai da fare?» osservò un giorno «tanto si sgualciscono ancora quando ci si dorme.»

«Oh, non capisci proprio niente!» gridò la mamma.

Era nervosa, anche perché Omama aveva progettato di fare una visita alla prozia Sarah e lei voleva che l'appartamento fosse perfettamente a posto al suo arrivo. Ma mentre puliva la casa – e la mamma affrontava le pulizie con una tale ferocia che Max e Anna non avevano mai notato in Grete o nella portinaia – si accumulavano i panni da lavare, e mentre preparava da mangiare bene e con poca spesa, la pila della roba da sistemare cresceva e cresceva. E siccome il babbo pareva non capire le sue difficoltà, dava la colpa a lui e una sera litigarono.

La mamma stava cercando di accomodare una vecchia sottoveste di Anna e brontolava parecchio, perché, dopo quel lavoro, l'aspettavano un sacco di calzini e di federe da rammendare, quando il babbo intervenne.

«Mi pare che non sia necessario» disse. «Non c'è bisogno di rammendare la biancheria dei bambini, tanto nessuno la vede!»

Doveva saperlo, pensò Anna, che questo l'avrebbe fatta esplodere.

«Tu non hai la minima idea, nessuna idea» gridò la mamma «del lavoro che ho da fare. Non ne posso più di lavare, cucinare, rammendare, stirare e tu non fai altro che dire che non è necessario!»

«Soltanto perché ti lamenti tanto» disse il babbo. «Dopo tutto, altra gente fa le stesse cose, guarda madame Fernand.»

Questo fece esplodere di nuovo la mamma.

«A madame Fernand piacciono i lavori di casa!» strillò. «Lei ha anche una donna a ore e una macchina da cucire. Guarda qui!» gridò sventolando una federa tutta strappata. «Lei la saprebbe rammendare in due minuti, mentre a me ci vuole almeno mezz'ora. Se tu mi paragoni a lei vuol dire proprio che non sai di che cosa stai parlando!»

Il babbo fu colto di sorpresa da quello sfogo. Voleva molto bene alla mamma e non sopportava di vederla addolorata.

«Volevo soltanto dire» cominciò «che per una persona intelligente come te, ci deve essere il modo di semplificare...»

«Allora farai meglio a rivolgerti a madame Fernand!» gridò la mamma. «Tutto quello che so fare è suonare il piano!» e uscì dalla stanza sbattendo la porta.

Il giorno dopo, quando Anna tornò a casa da scuola, incontrò il babbo in ascensore. Trasportava una grande scatola di legno con una maniglia.

«Cos'è?» chiese Anna, e il babbo rispose: «Un regalo per la mamma.»

Anna moriva dalla voglia di vedere cos'era ed era impaziente di aprire la scatola, ma la faccia della mamma si contrasse quando la vide.

«Non avrai per caso comprato...» cominciò, mentre il babbo sollevava il coperchio ed esclamava con orgoglio: «Una macchina da cucire!»

Non assomigliava affatto alla macchina da cucire di madame Fernand, pensò Anna. La macchina da cucire di madame Fernand era grigio-argento, questa era grigio nero e aveva una forma strana.

«Certo non è nuova» spiegò il babbo «e forse ha bisogno di essere pulita. Ma potrai rammendarci calzini e federe e fare i vestiti ai ragazzi senza bisogno di chiedere a madame Fernand...»

«Non so fare i vestiti» disse la mamma «e non si possono rammendare i calzini con la macchina da cucire.» Era assolutamente inorridita.

«Insomma, tutto quello che puoi fare con una macchina da cucire» continuò il babbo.

Fissavano tutti l'oggetto sul tavolo. Aveva l'aria di non essere buono a niente, pensava Anna.

«Quant'è costata?» chiese la mamma.

«Non ti preoccupare» rispose il babbo. «Oggi il *Daily Parisian* mi ha pagato per quell'articolo.»

A queste parole, la mamma montò su tutte le furie.

«Ma abbiamo bisogno di quei soldi!» gridò. «Non ti ricordi? Devo pagare l'affitto e il macellaio e Anna ha bisogno di scarpe nuove. Avevamo detto che avremmo adoperato i soldi dell'articolo per pagare tutto!»

Il babbo era distrutto. Era chiaro che non si ricordava più di queste cose, ma prima che la mamma potesse aggiungere altro, suonò il campanello e Anna aprì la porta a madame Fernand. Nella confusione per la macchina da cucire, si erano tutti dimenticati che stava venendo a prendere il tè.

«Guarda!» gridarono insieme la mamma e il babbo, ma ognuno con tono di voce diverso, mentre Anna la conduceva in sala.

Madame Fernand guardò stupita la macchina.

«Dove diavolo l'avete pescata?» esclamò. «Sembra uscita dall'Arca di Noè!»

«È così vecchia?» chiese il babbo.

Madame Fernand ispezionò la macchina più da vicino.

«L'hai comprata?» chiese con aria incredula.

«Certo!» disse il babbo.

«Ma la piastra... è rotta» osservò madame Fernand. «E il fusto si è piegato... probabilmente è caduta... è impossibile che funzioni.»

Notò dei segni in rilievo su un lato della macchina e li strofinò col fazzoletto. A poco a poco dal sudiciume apparvero dei numeri. Era una data... 1896. Madame Fernand si rimise in tasca il fazzoletto.

«Può essere interessante come pezzo d'antiquariato» disse con aria risoluta, «ma come macchina da cucire bisogna riportarla immediatamente indietro.»

Il babbo non riusciva ancora a rendersi conto che il suo meraviglioso regalo non servisse a niente.

«Sei sicura?» chiese.

«Sicurissima» confermò madame Fernand, «riportala subito e di' che ti ridiano i soldi.»

«Allora potrò avere un paio di scarpe nuove?» chiese Anna. Sapeva che non era il momento adatto per domandarlo, ma quelle vecchie erano tutte consumate, e le facevano male in punta. Da tempo ne desiderava un paio nuove.

«Ma sì, sì» tagliò corto la mamma, mentre il babbo appariva esitante.

«Spero che sarà d'accordo» disse, «l'uomo che me l'ha venduta non mi sembra un tipo comprensivo.»

«Vengo anch'io» decise madame Fernand, «voglio vedere questo posto in cui vendono macchine da cucire antiche» e andò anche Anna.

Il negozio non vendeva solo macchine da cucire, come credeva Anna, ma tante altre cose, come vecchie sedie, tavolini traballanti, quadri rotti. Un po' di roba era fuori sul marciapiede e un ometto dall'aria poco raccomandabile era indaffarato a drappeggiare una pelle di tigre spelacchiata sopra una cassettiera che troneggiava al centro della stanza.

Alla vista del babbo socchiuse gli occhi, stranamente smorti.

«Buon giorno» salutò il babbo, educato come sempre, «poco fa ho comprato questa macchina, ma temo non funzioni.»

«Ah, no?» rispose l'uomo, ma non sembrava per niente sorpreso.

«No» confermò il babbo «e allora l'ho riportata.»

L'uomo non disse nulla.

«E le sarò grato se mi restituirà i soldi.»

«Ah, no!» disse l'uomo. «Questo poi no. Gli affari sono affari.»

«Ma la macchina non funziona» replicò il babbo.

«Senta, signore» disse l'uomo, abbandonando per un momento la pelle di tigre. «Lei è venuto qui e ha comprato una macchina da cucire. Adesso ha cambiato idea e vuole indietro i soldi. Be', io non faccio gli affari così. Gli affari sono affari, e questo è tutto.»

«Sono d'accordo che gli affari sono affari» disse il babbo, «ma la macchina è rotta.»

«Dove?» chiese l'uomo.

Il babbo indicò vagamente.

L'uomo tagliò corto.

«Qualche cosetta da nulla» disse, «la metterà a posto con pochi soldi. Dopo tutto, non crederà che sia perfetta, con quel che l'ha pagata.»

«No, forse no» disse il babbo, «ma se non funziona per niente, non le pare che dovrebbe riprenderla indietro?»

«No» rispose l'uomo.

Il babbo non sapeva cosa rispondere e Anna ormai vedeva andare in fumo le sue scarpe nuove. Capiva che il babbo era stato imbrogliato, ma sapeva che l'aveva fatto a fin di bene e non era certo il tipo capace di costringere l'uomo a restituirgli i soldi.

Sospirò... ma aveva fatto i conti senza madame Fernand.

«Senta un po'!» gridò lei così forte che molti passanti si girarono a guardarla. «Ha venduto a quest'uomo un relitto di macchina da cucire, facendogli credere che funzionasse. È contro la legge! Intendo avvertire immediatamente la polizia e sono certa che si interesseranno anche a tutta questa robaccia che avete qui!»

«Ma signora, per piacere!» gridò l'uomo, con gli occhi spalancati di colpo.

«Non mi venga a dire che si è procurato questa roba onestamente!» continuò sullo stesso tono madame Fernand, dando con disprezzo uno strappo alla

pelle di tigre. «Non c'è niente di onesto nei suoi affari! E quando lo avrà sistemato la polizia, mio marito, che è un giornalista, scriverà tutto sul giornale...»

«Per piacere, signora!» si lamentò ancora l'uomo, frugandosi in tasca. «È un piccolo equivoco!» E porse in fretta alcuni soldi al babbo, tirandoli fuori da un borsellino tutto sporco.

«Sono giusti?» chiese duramente madame Fernand.

«Mi pare» rispose il babbo.

«Allora andiamocene» disse lei.

Avevano fatto pochi passi, quando l'uomo gli corse dietro.

Cosa c'era adesso?, pensò Anna nervosamente.

L'uomo fece un cenno scusandosi.

«Scusi signore, le dispiace?» disse.

Il babbo abbassò lo sguardo e si accorse di avere ancora in mano la macchina da cucire. La lasciò andare in fretta. «Mi dispiace tanto» disse. «Sono un po' confuso.»

«Certo, signore. Naturalmente, signore» disse l'uomo senza esserne affatto convinto.

Un momento dopo, voltandosi, Anna vide che stava tristemente sistemando la macchina da cucire sopra la pelle di tigre.

Accompagnarono madame Fernand alla stazione della metropolitana.

«Non facciamo più sciocchezze con le macchine da cucire» disse prima di andare. «Sapete che potete prendere la mia ogni volta che ne avete bisogno. E di' alla mamma» aggiunse rivolgendosi ad Anna «che farò una capatina domani e le darò una mano a rammendare.»

Guardò il babbo con espressione ammirata.

«Voi due» disse «siete certamente le persone meno pratiche del mondo!»

Anna e il babbo si avviarono insieme verso casa. Faceva freddo, ma il cielo era azzurro terso, e benché non ci fosse ancora nessun segno della primavera, si sentiva che ormai era vicina. A scuola quella mattina Anna aveva preso sette nel dettato... soltanto tre errori. I soldi per le scarpe nuove erano al sicuro in tasca al babbo. Era felice.

Capitolo ventuno

Omama arrivò dalla prozia Sarah prima di Pasqua e il giorno dopo andò a trovare la mamma e i bambini. Con l'aiuto della portinaia (che adesso stava meglio) la mamma aveva pulito e messo in ordine l'appartamento, così sembrava più carino, ma non si poteva assolutamente nascondere il fatto che fosse piccolissimo e male ammobiliato.

«Non riesci a trovare qualcosa di più grande?» chiese Omama, mentre prendevano il tè sulla tovaglia d'incerata rossa in sala.

«Un appartamento più grande verrebbe a costare di più» rispose la mamma, mentre offriva a Omama una fetta di torta di mele. «Riusciamo a malapena a pagare questo.»

«Ma come, tuo marito...» Omama appariva sorpresa.

«C'è la crisi» replicò la mamma, «ne avrai certamente sentito parlare! Con tanti scrittori francesi disoccupati, nessun giornale si sogna di dare lavoro a uno scrittore tedesco, e il *Daily Parisian* non può pagarlo molto.»

«Sì, ma anche così...» cominciò Omama e girò gli occhi nella stanzetta. Antipatica, pensò Anna, perché, in fondo, non era tutto così brutto... E proprio in quel momento Max, che si dondolava come al solito sulla sedia, crollò per terra con il piatto della torta di mele sulle ginocchia. «... Non è il modo di tirar su i bambini» Omama finì la frase, proprio come se Max avesse tradotto il suo pensiero in realtà.

Anna e Max scoppiarono in un'irrefrenabile risata. La mamma esclamò: «Sciocchezze!» in tono duro e ordinò a Max di andarsi a pulire.

«Veramente i bambini stanno facendo notevoli progressi» disse a Omama e, quando Max fu uscito dalla stanza, aggiunse: «Per la prima volta in vita sua, Max lavora sodo.»

«E io mi preparo per il *certificat d'études*!» saltò su Anna. Era questa la grande notizia. Aveva fatto passi da gigante e madame Socrate aveva deciso che non c'era ragione perché non desse l'esame quell'estate insieme al resto della classe.

«Il *certificat d'études*?» chiese Omama. «Non è quella specie di esame delle elementari?»

«Lo danno i ragazzi francesi a dodici anni» spiegò la mamma. «L'insegnante di Anna giudica notevole che lei sia in grado di darlo così presto.»

Ma Omama scosse il capo.

«Mi sembra tutto molto strano» commentò e guardò la mamma con aria triste. «Tu sei venuta su in modo così diverso.» Aveva comprato regali per tutti e per il resto della sua permanenza a Parigi, come aveva fatto in Svizzera, organizzò con la mamma e i ragazzi molte gite, che loro altrimenti non avrebbero potuto permettersi. Non riusciva proprio a rendersi conto di questo loro nuovo modo di vivere.

«Non è il modo di tirar su i bambini!» diventò un detto in famiglia.

«Non è il modo di tirar su i bambini!» diceva Max alla mamma, con aria di rimprovero, quando lei si dimenticava di preparargli i panini per la scuola. Anna, dal canto suo, scuoteva la testa ed esclamava: «Non è il modo di tirar su i bambini!» quando la portinaia sorprendeva Max che scivolava giù dalla ringhiera.

Una volta il babbo, dopo una visita di Omama, che lui cercava sempre di evitare, domandò alla mamma: «Come sta tua madre?» e Anna sentì che la mamma rispondeva: «È gentile e del tutto priva di immaginazione, come sempre.»

Quando arrivò il momento per lei di tornare nella Francia del sud, Omama abbracciò affettuosamente la mamma e i ragazzi.

«Ricordati» raccomandò alla mamma «che se ti trovi in difficoltà puoi sempre mandare i ragazzi da me.»

Anna incontrò lo sguardo di Max e con la bocca fece il verso di "Non è il modo di tirar su i bambini!". Benché non fosse gentile, considerando tutti i regali che avevano ricevuto da Omama, dovettero entrambi fare mille smorfie per non sbottare in un'interminabile risata.

Dopo le vacanze di Pasqua, Anna aveva una gran voglia di riprendere le lezioni. Da quando aveva imparato il francese, le piaceva moltissimo la scuola. Improvvisamente, tutto era diventato facile per lei e si divertiva a scrivere racconti e temi in francese. Non era affatto come scrivere in tedesco – si potevano fare diverse cose con le parole – e lei lo trovava straordinariamente eccitante.

Anche i compiti a casa non erano più così faticosi. La parte più difficile erano i lunghi brani di letteratura, storia e geografia da imparare a memoria, ma lei e Max avevano scoperto un sistema infallibile. Se memorizzavano un brano la sera prima di addormentarsi, erano sicuri, al mattino, di saperlo. Il pomeriggio svaniva un po' dalla loro memoria e il giorno dopo non se lo ricordavano più, ma intanto era rimasto loro in mente quel tanto che bastava per la scuola.

Una sera, il babbo entrò nella loro stanza, mentre si aiutavano a vicenda, ripetendo l'uno all'altro la propria lezione. Quella di Anna era su Napoleone e il babbo si stupì di sentirgliela recitare tutta d'un fiato. Cominciava con: «Napoleone nacque in Corsica», continuava con una lista lunghissima di date e battaglie, finché terminava con: «Egli morì nel 1821.»

«Che strano modo di imparare la storia di Napoleone» osservò il babbo. «Cos'altro sapete di lui?»

«È tutto qui!» rispose Anna, con aria offesa, anche perché non aveva commesso il minimo errore. Il babbo si mise a ridere.

«No, non è tutto» disse e, sedendosi sul letto, cominciò a parlare di Napoleone. Raccontò ai ragazzi della sua infanzia in Corsica, insieme ai fratelli e alle sorelle, dei suoi studi brillanti, di come divenne ufficiale a quindici anni e comandante di tutta l'armata francese a ventisei. Parlò della sua abitudine di incoronare fratelli e sorelle re e regine dei paesi che conquistava. Ciononostante, continuò il babbo, non riuscì mai a impressionare la madre, che in origine era una contadina italiana.

«*C'est bien pourvu que ça dure*» diceva lei, con disapprovazione, alla notizia di ogni suo trionfo e voleva dire: «Va bene, finché dura.»

Raccontò poi ai ragazzi di come la sua predizione si avverò, quando metà dell'armata francese fu distrutta in una campagna disastrosa contro la Russia, e infine della morte solitaria di Napoleone, nella piccola isola di Sant'Elena. Anna e Max ascoltarono affascinati. «È proprio come un film» osservò Max.

«Sì» rispose il babbo soprappensiero, «proprio così.»

Anna pensava che era molto bello che il babbo in quei giorni avesse più tempo da dedicare a loro. Era per via della crisi: il *Daily Parisian* aveva ridotto il numero di pagine e non poteva più pubblicargli tutti gli articoli. La mamma e il babbo, però, non lo trovavano affatto bello; la mamma, in particolare, era sempre più preoccupata per i soldi.

«Non possiamo andare avanti così!» Anna la sentì dire al babbo. «L'ho sempre detto che dovevamo andare subito in Inghilterra!» Quella volta il babbo si strinse nelle spalle, dicendo: «È una cosa che si sistemerà da sé.»

Subito dopo, il babbo tornò a essere molto indaffarato e Anna lo sentiva di sera, che batteva a macchina fino a tardi nella sua stanza, così pensò che "la cosa si era sistemata da sé" e smise di pensarci. In ogni caso era troppo impegnata con la scuola per badare a quello che succedeva in casa. Lo spettro dell'esame si avvicinava sempre più e lei era ormai decisa a prendere il *certificat d'études*. Pensava che sarebbe stato magnifico, dopo soltanto un anno e nove mesi che si trovava in Francia.

Alla fine, arrivò il grande giorno e in una calda mattina di luglio, di buon'ora, madame Socrate condusse la classe in una scuola vicina. Essendo la loro una scuola privata, l'esame era tenuto da insegnanti esterni. Si svolgeva in un solo giorno, e non c'era molto tempo per ogni materia: francese, aritmetica, storia, geografia, canto, cucito, disegno, ginnastica. Si cominciò con la prova di aritmetica, che durò un'ora e Anna se la cavò bene, poi ci fu il dettato in francese. Seguì un intervallo di dieci minuti.

«Come t'è andata?» chiese Anna a Colette.

«Bene» rispose Colette.

Finora non c'era male.

Dopo l'intervallo, furono distribuiti due fogli con le domande di storia e geografia, mezz'ora di tempo per ciascuna materia, e poi... arrivò la catastrofe!

«Siccome c'è poco tempo» annunciò l'insegnante incaricata, «abbiamo deciso che quest'anno, invece di esaminare i candidati in cucito e disegno, e calcolare il voto insieme, come abbiamo fatto gli anni scorsi, esamineremo soltanto in cucito e il voto varrà per tutto.» In cucito Anna andava male. Non riusciva mai a ricordare i nomi dei diversi punti e, forse perché neanche la mamma era brava a cucire, lei lo considerava un'inutile perdita di tempo. Neppure madame Socrate era mai riuscita a convincerla ad applicarsi. Una volta le aveva tagliato un grembiule perché gli facesse l'orlo, ma Anna ci aveva messo tanto di quel tempo che, quando finalmente l'aveva finito, era talmente cresciuta che non le andava più bene.

L'annuncio dell'insegnante, quindi, la fece sprofondare nella disperazione. Anna si sentì ancora peggio quando si trovò in mano un quadrato di stoffa, ago e filo e delle istruzioni incomprensibili. Passò mezz'ora, cercando disperatamente di capire come fare, strappò il filo, si accanì con frenesia su nodi che si facevano non si sa come, e infine consegnò un pezzo di stoffa così tormentato e sgualcito che anche l'insegnante, ritirandolo, lo guardò allibita.

A mezzogiorno, mangiò tristemente con Colette nel cortile della scuola.

«Se vai male in una materia, ti bocciano?» chiese Anna, mentre mangiavano i panini, sedute su una panchina all'ombra.

«Ho paura di sì» rispose Colette, «a meno che tu non prenda ottimo in un'altra materia, in questo caso l'una compensa l'altra.»

Con la mente, Anna passò in rassegna gli esami già fatti. Eccetto il cucito, tutti gli altri le erano andati bene, ma non tanto da prendere ottimo. A questo punto la possibilità di essere promossa appariva scarsa.

Il pomeriggio, però, si sentì meglio, quando vide gli argomenti scelti per il tema in francese. Si poteva scegliere fra tre, e uno era "Un viaggio". Anna decise di descrivere quello che doveva essere stato il viaggio del babbo da Berlino a Praga, con la febbre e la paura che lo fermassero alla frontiera. Aveva un'ora di tempo e via via che scriveva, il viaggio del babbo diventava per lei sempre più vivo. Le pareva di sapere esattamente come era andato, quali erano stati i pensieri del babbo e come, a causa della febbre, continuasse a fare confusione tra quello che pensava e quello che accadeva veramente. Quando, nel racconto, il babbo giunse a Praga, Anna aveva scritto quasi cinque pagine, ed ebbe il tempo di rileggerle per controllare la punteggiatura e l'ortografia, prima di consegnare. Le parve che quello fosse uno dei temi migliori che avesse mai scritto, e se non fosse stato per quel maledetto cucito, sarebbe stata sicura di essere promossa.

Doveva ancora dare canto e ginnastica. Per il canto, le bambine venivano esaminate una a una, ma siccome c'era poco tempo, le tenevano pochissimo.

«Canta la *Marseillaise*» ordinò l'insegnante, ma dopo le prime note fermò Anna. «Bene, basta così» disse e chiamò: «Avanti l'altra!»

Erano rimasti soltanto dieci minuti per l'esame di ginnastica.

«Svelte! Svelte!» gridò l'insegnante, mentre conduceva in massa le bambine in cortile, dando ordine che si sparpagliassero. Con lei c'era un'altra insegnante e insieme sistemarono le alunne su quattro lunghe file, a distanza di un paio di metri l'una dall'altra.

«Attenzione!» gridò un'insegnante. «Sollevate la gamba sinistra in alto, in avanti, via!»

Tutte le ragazze eseguirono l'esercizio correttamente fatta eccezione per Colette, che per sbaglio sollevò la destra e di nascosto dovette correggersi. Anna era assolutamente immobile, le braccia in fuori per mantenersi bene in equilibrio e la gamba sinistra sollevata in alto il più possibile. Con la coda dell'occhio, osservò le compagne e notò che nessuna teneva la gamba così tanto in alto. Le insegnanti camminavano tra le file di bambine, alcune delle quali cominciavano già a vacillare e facevano ricadere la gamba, prendendo appunti su un foglio. Giunte davanti ad Anna, si fermarono.

«Molto bene!» esclamò una.

«Davvero bravissima!» osservò l'altra. «Non credi...?»

«Ma certamente!» confermò la prima e fece un segno sul foglio.

«Ecco fatto! Adesso potete andare a casa» dissero le due insegnanti quando arrivarono in fondo alla fila. Colette corse incontro ad Anna e l'abbracciò.

«Ce l'hai fatta! Ce l'hai fatta!» gridò. «Hai preso ottimo in ginnastica, così non importa se sei andata male nell'esame di cucito!»

«Lo credi davvero?» chiese Anna, ma, per la verità, si sentiva abbastanza sicura di sé.

Faceva molto caldo, ma lei era pazza di gioia e mentre camminava verso casa, non vedeva l'ora di raccontare tutto alla mamma.

«Vuoi dire che, siccome sei stata bene in equilibrio su una gamba, non importa se non sai cucire?» chiese la mamma. «Che razza di esame!»

«Lo so» ribatté Anna, «ma penso che le materie veramente importanti siano francese e aritmetica e in quelle sono andata molto bene.»

La mamma aveva messo in fresco della limonata, così si sedettero in sala e la bevvero, mentre Anna non la smetteva di parlare.

«Ci daranno i risultati fra qualche giorno al massimo, perché siamo quasi alla fine del trimestre. Che bello se sono davvero passata... dopo neanche due anni in Francia!»

La mamma era d'accordo, sarebbe stato davvero bello, quand'ecco che suonò il campanello sulla porta e comparve Max, pallido e tutto agitato.

La mamma, vedendolo, si rallegrò.

«Allora, ce l'hai fatta a prendere il premio in latino?» domandò.

Max scosse la testa.

«No» rispose e pareva che il resto della frase gli fosse rimasto appiccicato alla gola. «Ho vinto...» cominciò e finalmente continuò tutto d'un fiato: «Ho vinto il *prix d'excellence*! Vuol dire che sono stato giudicato il migliore della classe.»

Tutti si rallegrarono e si complimentarono con lui. Anche il babbo smise di battere a macchina per sentire la grande notizia e Anna, come gli altri, pensò che si trattava di una cosa meravigliosa. Ma non poté fare a meno di desiderare che la notizia non fosse arrivata proprio in quel momento. Aveva studiato così tanto e desiderato così a lungo di prendere il *certificat d'études*. Adesso, anche se avesse superato gli esami, su chi avrebbe fatto colpo? Specialmente se si considerava che il merito era in parte della sua capacità di reggersi in equilibrio su una gamba sola!

Quando si seppero i risultati, non fu così elettrizzante come Anna si aspettava. Lei era stata promossa, ma anche Colette, insomma, quasi tutta la classe. Madame Socrate consegnò a ogni candidata il certificato in una busta. Ma quando Anna aprì la sua, vi trovò anche qualcos'altro. Insieme al certificato, c'erano due biglietti da dieci franchi e una lettera del sindaco di Parigi.

«Cosa vuol dire?» chiese stupita a madame Socrate.

La faccia grinzosa dell'insegnante si aprì in un sorriso compiaciuto. «Il sindaco di Parigi ha deciso di assegnare venti premi ai migliori temi in francese scritti dagli alunni che hanno preso il *certificat d'études*» spiegò. «A quanto pare tu sei fra quelli.»

Quando Anna lo raccontò al babbo, lui ne fu felice, come per il *prix d'excellence* di Max.

«È la tua prima ricompensa come scrittrice professionista» disse. «Ed è davvero notevole che tu l'abbia guadagnata in una lingua che non è la tua.»

Capitolo ventidue

Arrivarono le vacanze estive, e Anna si rese conto che nessuno aveva parlato di partire. Faceva molto caldo. Si sentiva il calore del selciato attraverso le suole delle scarpe e pareva che il sole affondasse nelle strade e nelle case, che non si rinfrescavano neanche di notte. Subito dopo la fine della scuola, i Fernand erano partiti per il mare, e in agosto Parigi si era andata via via svuotando. Il giornalaio all'angolo era stato il primo a mettere fuori un cartello con su scritto: "Chiuso fino a settembre", e presto ne seguirono molti altri. Persino quello del negozio dove il babbo aveva comprato la macchina da cucire aveva abbassato la saracinesca e se ne era andato via.

Non si sapeva cosa fare in quelle lunghe giornate calde. Nell'appartamento si soffocava e anche nella piazzetta ombreggiata, dove di solito Anna e Max giocavano, faceva troppo caldo per fare qualcosa di divertente. Cominciavano a tirarsi la palla o giocavano con le trottole, ma si stancavano presto e allora si lasciavano andare su una panchina e sognavano di nuotare e di bere cose fresche.

«Che bello sarebbe, se fossimo seduti sul bordo del lago di Zurigo e potessimo tuffarci!» esclamò Anna.

Max si scrollò la camicia, che gli si era appicciata addosso dal gran sudore.

«Difficile che possa capitare» osservò. «Ce la facciamo a malapena a pagare l'affitto, altro che andare in vacanza!»

«Lo so» disse Anna. Ma le pareva così triste, che sentì il bisogno di aggiungere: «A meno che qualcuno non compri la sceneggiatura del film che ha scritto il babbo.»

La sceneggiatura del babbo era stata ispirata dai suoi racconti su Napoleone. Non parlava proprio di lui, ma della madre: di come aveva allevato i figli senza soldi, del modo in cui la loro vita era cambiata col successo di Napoleone e di come infine gli era sopravvissuta, vecchia e cieca, dopo la disfatta finale. Era la prima volta che il babbo scriveva una sceneggiatura per il cinema e ci stava lavorando, proprio quando Anna credeva che "la cosa si fosse sistemata da sé" con il *Daily Parisian*.

Dal momento che adesso il giornale era più che mai in difficoltà, si augurava che fosse il cinema, invece, a fare la fortuna del babbo; ma non c'era stato ancora alcun segnale positivo. Due società cinematografiche francesi, a cui il babbo aveva sottoposto il suo lavoro, glielo avevano restituito con rapidità deprimente. Poi il babbo l'aveva mandato in Inghilterra, a un produttore cinematografico ungherese, e in questo caso c'erano ancor meno probabilità che venisse accettato, perché non era affatto sicuro che l'ungherese capisse il tedesco. Inoltre, pensava Anna, perché mai gli inglesi, che erano stati i più grandi nemici di Napoleone, avrebbero dovuto, più dei francesi, voler fare un film su di lui?

Per lo meno la sceneggiatura non era ancora tornata indietro, quindi c'era ancora qualche speranza.

«Non credo che qualcuno comprerà quel film, e tu?» domandò Max. «Non so proprio come faranno il babbo e la mamma per i soldi.»

«Vedrai che qualcosa salterà fuori» disse Anna, ma dentro di sé era un po' spaventata. E se non fosse saltato fuori niente?

Non avevano mai visto la mamma così nervosa come in quel periodo. Bastava niente perché si arrabbiasse, come quella volta che Anna aveva rotto il suo fermaglio dei capelli.

«Non puoi stare più attenta?» aveva gridato la mamma, e quando Anna le aveva fatto osservare che la molletta costava soltanto trenta centesimi, la mamma si era messa a urlare: «Trenta centesimi sono trenta centesimi!» e aveva insistito, cercando di attaccare la molletta con la colla, prima di comprargliene un'altra. Una volta, all'improvviso, aveva domandato: «Ragazzi, vi piacerebbe andare un po' da Omama?»

Max aveva risposto prontamente: «No, grazie!» e tutti si erano messi a ridere, ma, ripensandoci, non era affatto divertente.

Quella sera, al buio, nel tepore della stanza, Anna era preoccupata per quello che sarebbe successo se non fosse migliorata la situazione finanziaria del babbo. Avrebbero davvero mandato lei e Max dalla nonna?

Verso la metà di agosto, arrivò una lettera dall'Inghilterra. Era firmata dalla segretaria del produttore ungherese, il quale ringraziava il babbo per la sceneggiatura e diceva di desiderare molto leggere l'opera di un autore così famoso, anche se, purtroppo, doveva informarlo che, al momento, c'era una generale mancanza di interesse per film su Napoleone.

La mamma, che si era tutta agitata vedendo il francobollo inglese, fu estremamente delusa.

«L'ha ricevuta da quasi un mese e non l'ha neanche letta!» si lamentò. «Se fossimo in Inghilterra! Potremmo di sicuro fare qualcosa di più.»

«Non so che cosa» mormorò il babbo.

Ultimamente, "se fossimo in Inghilterra!" era diventato il lamento abituale della mamma. Non era soltanto per via della governante inglese che aveva avuto da piccola; continuava a sentire di altri profughi che si erano sistemati in Inghilterra e avevano trovato dei lavori interessanti. Odiava i giornali francesi, perché non facevano scrivere il babbo, e odiava le compagnie cinematografiche francesi, perché rifiutavano la sua sceneggiatura e soprattutto non poteva più sopportare di essere sempre senza soldi, al punto che l'acquisto di piccole cose, come un tubetto di dentifricio, diventava una grave fonte di preoccupazione.

Dopo circa due settimane dall'arrivo della lettera dall'Inghilterra, le cose precipitarono. Cominciò con il letto della mamma. Lo stava rifacendo, dopo colazione; aveva già messo via le lenzuola e il guanciale per trasformarlo in divano, quando si bloccò. Il sedile imbottito, che doveva scivolare sulla rete, rifiutava di muoversi. Chiamò Max perché l'aiutasse e tutti e due spinsero e spinsero, ma invano. Il sedile si ostinava a rimanere proiettato fuori, in mezzo alla stanza, mentre la mamma e Max si asciugavano la faccia dal sudore, perché faceva già un gran caldo. «Oh, ma perché ci deve sempre essere qualche cosa che va storto!» si lamentò la mamma e aggiunse: «La portinaia deve assolutamente sistemarlo. Anna, corri, dille di venire su!»

Non era un bel compito. La mamma, recentemente, per risparmiare, aveva smesso di far venire ogni giorno la portinaia per aiutarla nelle pulizie, e adesso la portinaia era sempre sgarbata. Per fortuna, Anna la incontrò proprio sul pianerottolo.

«Ho portato la posta» disse la portinaia – si trattava soltanto di una circolare – «e sono venuta per i soldi dell'affitto.»

«Buongiorno, signora» salutò il babbo, gentile come sempre, incontrandola nell'ingresso. Quando la portinaia entrò nella stanza, la mamma le domandò: «Potrebbe dare un'occhiata al letto?»

Per tutta risposta, la donna diede al letto una leggera spinta, che si rivelò inutile.

«Chissà cosa ci hanno combinato sopra i bambini» disse, e aggiunse: «Sono venuta per i soldi dell'affitto.»

«I bambini non si sono neppure avvicinati» protestò arrabbiata la mamma «e cos'è questa storia dell'affitto? Scade soltanto domani.»

«Oggi» ribatté la portinaia.

«Ma oggi non è il primo settembre.»

La portinaia indicò, senza parlare, la data su un giornale che aveva in mano.

«Benissimo» disse la mamma e chiamò il babbo. «Dobbiamo pagare l'affitto.»

«Non ricordavo fosse oggi» disse il babbo. «Temo che dovrà aspettare fino a domani.» Mentre parlava, una strana, sgradevole espressione apparve sulla faccia della portinaia.

La mamma guardò il babbo con aria preoccupata.

«Ma non capisco» parlò in fretta, in tedesco, «non sei andato ieri al *Daily Parisian*?»

«Certo» rispose il babbo, «ma mi hanno detto di tornare stamattina.»

Ultimamente, il *Daily Parisian* si trovava in tali difficoltà, che a volte l'editore riusciva a fatica a pagare il babbo, anche per quei pochi articoli che pubblicava. In quel momento gliene doveva pagare tre.

«Non so di cosa state parlando voi due» interruppe sgarbatamente la portinaia, «ma l'affitto lo dovete pagare oggi. Non domani, oggi!»

La mamma e il babbo furono sorpresi dal tono della sua voce. «Non dubiti che avrà i suoi soldi» disse la mamma, arrossendo di rabbia. «Adesso, per piacere, mi sistemi questo aggeggio sgangherato, così stanotte avrò un posto dove dormire!»

La portinaia non si mosse e disse: «Non vale la pena, no? Con gente che non ce la fa neanche a pagare i soldi che deve...!»

A queste parole, il babbo si arrabbiò.

«Non voglio che lei parli a mia moglie con quel tono!» disse, ma la portinaia continuò lo stesso.

«Vi date tante arie per un bel niente!»

Allora la mamma andò su tutte le furie.

«Sistemi il letto, per piacere!» gridò. «Altrimenti se ne vada fuori!»

«Eh, già!» disse la portinaia. «Ha fatto bene Hitler a liberarsi di gente come voi!»

«Fuori!» gridò il babbo e la spinse verso la porta. Mentre usciva, Anna sentì che diceva: «Ha fatto male il governo a farli venire nel nostro paese!»

Tornarono nella stanza e trovarono la mamma immobile, che fissava il letto. Aveva un'espressione che Anna non le aveva mai visto e quando entrò il babbo, proruppe: «Non possiamo andare avanti così!» e sferrò un calcio poderoso al letto. Certamente si era sbloccato qualche ingranaggio, perché di colpo il sedile imbottito scattò in avanti e si richiuse con un gran fracasso.

Tutti scoppiarono a ridere, fuorché la mamma che, improvvisamente, divenne calmissima.

«Oggi è giovedì» disse con voce stranamente tranquilla, «c'è uno spettacolo per bambini al cinema.»

Frugò nella borsetta e diede a Max degli spiccioli. «Andateci tutti e due.»

«Davvero?» chiese Max. Il biglietto del cinema costava un franco ed era già un po' di tempo che la mamma diceva che era troppo caro per loro.

«Sì, sì» ripeté la mamma. «Andate, svelti, altrimenti vi perderete l'inizio.»

C'era qualcosa di strano in tutta quella faccenda, ma era un'occasione bellissima e sarebbe stato un peccato perdersela. Così Anna e Max andarono al cinema e videro tre cartoni animati, un cinegiornale e un film sulla pesca d'alto mare. Quando tornarono sembrava tutto normale. Era pronto da mangiare e il babbo e la mamma erano seduti l'uno accanto all'altra, vicino alla finestra e chiacchieravano.

«Vi interesserà sapere» disse il babbo «che quel mostro di portinaia è stata regolarmente pagata. Sono riuscito a farmi dare i miei soldi dal *Daily Parisian*.»

«Dobbiamo dirvi qualcosa» annunciò la mamma.

Anna e Max aspettarono che servisse la cena.

«Non possiamo andare avanti così» continuò la mamma. «Lo vedete anche voi. Per questo abbiamo pensato che l'unica cosa da fare è andare in Inghilterra e cominciare là tutto daccapo.»

«Quando ci andiamo?» chiese Anna.

«Per cominciare andiamo soltanto io e il babbo» spiegò la mamma. «Tu e Max andrete a stare con Omama e Opapa, finché non avremo sistemato le cose.»

Max parve depresso all'idea, ma annuì. Evidentemente, se lo aspettava.

«Ma mettiamo che ci voglia molto tempo per sistemare le cose» disse Anna. «Noi resteremo senza vedervi.»

«Ma non ci vorrà molto tempo» ribatté la mamma.

«Ma Omama...» insistette Anna, «lo so che è molto gentile, ma...»

Non sapeva come dire che a Omama non era simpatico il babbo, così chiese, rivolta al babbo: «Tu che cosa ne pensi?»

Il babbo aveva quell'espressione stanca che tanto dispiaceva ad Anna, ma rispose in tono deciso: «Avranno cura di voi. E potrete andare a scuola... così non interromperete gli studi.» Sorrise. «Siete così bravi, tutti e due.»

«È l'unica cosa da fare» replicò la mamma.

Anna si sentì invadere da un'ondata gelida, triste.

«Allora, è tutto deciso?» domandò. «Non volete neanche sapere cosa ne pensiamo noi?»

«Ma certo» disse la mamma, «però, per come stanno le cose, non abbiamo molta scelta.»

«Di' pure quello che pensi» intervenne il babbo.

Anna fissò la tovaglia rossa davanti a sé. «È che io penso che dobbiamo stare insieme» disse. «Non importa dove e come. Non mi importa se è difficile, se non ci sono soldi, e non mi importa di quella stupida portinaia che stamattina... insomma, purché restiamo tutti e quattro insieme.»

«Ma, Anna» intervenne la mamma, «molti bambini stanno lontano dai genitori per un po'. Molti bambini inglesi vanno in collegio.»

«Lo so» disse Anna, «ma è diverso se non hai una casa tua. Se non hai una casa tua, allora devi stare con la tua famiglia.» Guardò i genitori, impressionati dalle sue parole e proruppe: «Lo so, lo so che non abbiamo scelta e io sto soltanto rendendo le cose difficili. Ma finora non mi è mai importato di essere una profuga. Anzi, mi è molto piaciuto. Penso che questi ultimi due anni da profughi siano stati più belli di quando eravamo in Germania. Ma se adesso ci mandate lontano, ho una paura terribile… una paura terribile…»

«Di cosa?» domandò il babbo.

«Di sentirmi davvero una profuga!» e scoppiò a piangere.

Capitolo ventitré

In seguito, Anna si vergognò di essersi sfogata in quel modo. Dopo tutto, sapeva bene che il babbo e la mamma non avevano altra scelta che mandare lei e Max dai nonni. Non aveva fatto altro che peggiorare una situazione difficile che doveva comunque essere affrontata. Perché non era stata zitta? Anche la sera, a letto, continuò a tormentarsi e quando la mattina dopo si svegliò di buon'ora, sentì che doveva fare qualche cosa. Le erano rimasti ancora dei soldi del premio: ebbene, per colazione avrebbe comprato dei *croissant* per tutti.

Fuori soffiava una leggera brezza, dopo tante settimane, e quando tornò dal fornaio con i *croissant* caldi nel sacchetto, improvvisamente si sentì felice. Tutto si sarebbe sistemato; tutto sarebbe andato benissimo.

Un uomo, con un forte accento tedesco, stava parlando con la portinaia e Anna, passando, sentì che chiedeva del babbo.

«L'accompagno io su» disse, senza curarsi della portinaia, che, offesa, le porse una lettera senza parlare. Anna vi gettò uno sguardo e il cuore le batté forte, quando riconobbe il francobollo inglese. Mentre saliva in ascensore, non fece che pensare a quello che poteva esserci scritto e si ricordò dell'uomo che era con lei soltanto quando lui le rivolse la parola.

«Devi essere Anna» disse, e lei annuì.

Era vestito miseramente, e la sua voce era triste.

«Babbo!» chiamò Anna, mentre entrava in casa «Ho comprato dei *croissant* per colazione e c'è una lettera per te e un signore che vuol vederti!»

«Qualcuno qui? Adesso?» domandò il babbo, mentre sbucava dalla sua stanza, annodandosi la

cravatta. Condusse l'ospite in sala e Anna li seguì, con la lettera in mano.

«Molto piacere, signor…?»

«Rosenfeld» si presentò l'uomo, inchinandosi leggermente. «Facevo l'attore a Berlino, ma lei non può conoscermi. Solo piccole parti, capisce» sorrise, scoprendo una fila di denti gialli irregolari e aggiunse, apparentemente senza motivo: «Ho un nipote che lavora qui in una pasticceria.»

«Babbo…» interruppe Anna, mostrando la lettera, ma il babbo la fermò: «Dopo!»

Pareva che il signor Rosenfeld avesse difficoltà a dire perché era venuto. Guardava tutt'intorno in sala col suo sguardo triste, tentando varie volte di cominciare a parlare, senza riuscirvi. Infine si mise una mano in tasca e ne trasse un pacchettino avvolto in carta da pacchi.

«Le ho portato questo» disse, e lo porse al babbo. Il babbo lo aprì.

Era un orologio – un vecchio orologio d'argento – e aveva qualcosa di familiare.

«Julius!» esclamò il babbo.

Il signor Rosenfeld annuì col capo, tristemente. «Le porto cattive notizie.»

Lo zio Julius era morto.

La mamma offrì un caffè al signor Rosenfeld. Lui mangiucchiò distrattamente uno dei *croissant* di Anna e raccontò com'era morto lo zio Julius. Circa un anno prima, era stato licenziato dal suo posto di direttore del Museo di Storia Naturale di Berlino. «Ma perché?» chiese la mamma.

«Certamente sapevate che sua nonna era ebrea» spiegò il signor Rosenfeld.

In seguito zio Julius non aveva più potuto lavorare come naturalista, ma aveva trovato da lavorare come spazzino in uno stabilimento. Aveva lasciato il suo appartamento ed era andato ad abitare in una stanza da poco e lì aveva fatto amicizia col signor Rosenfeld, che abitava nella stanza accanto. In quel periodo, malgrado le difficoltà, lo zio Julius riusciva ancora a essere di buon umore.

«Aveva… come dire? accettato le cose» disse il signor Rosenfeld. «Io volevo fin d'allora venire a Parigi, a raggiungere mio nipote, e gli ho detto: "Venga anche lei, c'è lavoro per tutti e due nella pasticceria!" Ma lui non ha voluto. Pensava che la situazione in Germania sarebbe cambiata.»

Il babbo annuì, ricordando lo zio Julius in Svizzera. Il signor Rosenfeld e lo zio Julius avevano chiacchierato molto e lo zio Julius gli aveva parlato spesso del babbo e della sua famiglia. Il signor Rosenfeld l'aveva accompagnato un paio di volte allo zoo, dove passava tutte le domeniche.

Sebbene avesse pochissimi soldi, lo zio Julius si arrabattava per portare le noccioline alle scimmie e qualche avanzo per gli altri animali, e il signor Rosenfeld era rimasto colpito nel vedere come tutti correvano alle sbarre delle loro gabbie, non appena egli appariva.

«Non era per via del cibo» disse. «Era più per la sua gentilezza d'animo. Loro la percepivano.»

Di nuovo il babbo annuì…

Per tutto l'autunno, lo zio Julius era andato allo zoo anche di sera, quando usciva dal lavoro. Ormai dedicava tutta la sua vita agli animali. C'era una scimmia che si lasciava accarezzare da lui, attraverso le sbarre…

E poi, poco prima di Natale, era arrivato il colpo terribile. Lo zio Julius aveva ricevuto il divieto ufficiale di andare allo zoo. Senza spiegazioni. Il fatto che sua nonna fosse ebrea era sufficiente. Da allora lo zio Julius era cambiato. Non riusciva più a dormire e non mangiava quasi niente. Non chiacchierava più con il signor Rosenfeld, e passava le domeniche nella sua stanza, fissando i passerotti sul tetto di fronte.

Infine, una notte, in primavera, aveva bussato alla porta del signor Rosenfeld e l'aveva pregato, quando fosse andato a Parigi, di portare una cosa al babbo.

Il signor Rosenfeld gli aveva spiegato che c'era tempo prima che partisse, ma lo zio Julius aveva replicato: «Non importa, glielo consegno adesso» e il signor Rosenfeld, per tranquillizzarlo, aveva preso il pacchettino. La mattina dopo, avevano trovato lo zio Julius morto, con accanto un tubetto di sonniferi vuoto.

Il signor Rosenfeld era riuscito ad andare via dalla Germania soltanto dopo parecchi mesi, ma era subito venuto a cercare il babbo, per consegnargli il pacchetto. «C'è anche un biglietto» disse.

La calligrafia era accurata, come sempre.

Diceva semplicemente: "Addio e buona fortuna" ed era firmato "Julius".

Per un bel po', dopo che il signor Rosenfeld fu andato via, Anna dimenticò l'altra lettera dall'Inghilterra, che aveva ancora in mano. Quando se ne ricordò, la diede al babbo. Lui la aprì, la lesse in silenzio e la porse alla mamma.

«Vogliono comprare la tua sceneggiatura!» gridò la mamma e aggiunse, incredula: «Più di mille sterline…!»

«Vuol dire che non dobbiamo andare a stare con Omama?» si informò subito Max.

«Ma certo!» disse la mamma. «Adesso non c'è più bisogno che andiate via. Possiamo andare tutti insieme in Inghilterra!»

«Oh, babbo!» gridò Anna. «Non è meraviglioso, babbo?»

«Sì» rispose il babbo. «Sono contento che staremo tutti insieme.»

«Pensare che faranno un film con la tua sceneggiatura!» e la mamma gli posò una mano sulla spalla. Sentì allora sotto le dita il tessuto logoro e sfilacciato del colletto.

«Hai bisogno di una giacca nuova» disse.

«Andiamo a dirlo alla portinaia e diamole la disdetta!» disse Max.

«No... aspetta!» esclamò la mamma. «Se andiamo a Londra, dobbiamo avvertire la scuola. E dobbiamo cercare un albergo. E là farà più freddo... Avrete bisogno di roba di lana...»

Improvvisamente c'erano tante cose da discutere.

Ma il babbo, che era l'artefice di tutto, non aveva voglia di parlare.

Mentre la mamma e i bambini chiacchieravano e facevano progetti, lui restò seduto, lasciando che le parole scivolassero via. In mano teneva l'orologio dello zio Julius e l'accarezzava piano piano, con un dito.

Capitolo ventiquattro

Sembrava strano dover partire di nuovo per un altro paese.

«Proprio adesso che avevamo finalmente imparato il francese» commentò Max.

Non c'era tempo per salutare madame Socrate, che era ancora in vacanza, e Anna lasciò un biglietto a scuola. Ma andò con la mamma a fare una visita d'addio alla prozia Sarah, che augurò a tutti buona fortuna per la nuova vita in Inghilterra e fu felice di sapere del film del babbo.

«Finalmente qualcuno darà un po' di soldi a quella brava persona» commentò. «Lo avrebbero già dovuto fare molto tempo fa.»

I Fernand tornarono dal mare, in tempo perché le due famiglie passassero un'ultima serata insieme. Il babbo portò tutti fuori a cena, per festeggiare l'avvenimento, e si scambiarono la promessa di incontrarsi presto.

«Torneremo in Francia» promise il babbo. Aveva una giacca nuova e quell'espressione stanca gli era quasi scomparsa dal viso.

«E voi verrete a trovarci a Londra» disse la mamma.

«Verremo a vedere il film» disse madame Fernand.

Non ci volle molto a fare i bagagli. Ogni volta che traslocavano c'era sempre meno roba da portare via – tante cose si erano via via consumate ed erano state eliminate – e una mattina grigia, dopo circa due settimane da quando era arrivata la lettera dall'Inghilterra, erano pronti per partire.

Per l'ultima volta, Anna e la mamma gironzolavano nella piccola sala da pranzo, in attesa del taxi che doveva portarli alla stazione.

Sgombrata delle cose di ogni giorno, che la rendevano familiare, la stanza appariva spoglia e squallida.

«Non so come abbiamo fatto a vivere qui per due anni» disse la mamma.

Anna passò la mano sull'incerata rossa della tavola.

«Io ci sono stata bene» disse.

Arrivò il taxi. Il babbo e Max misero le valigie in ascensore e infine il babbo chiuse per sempre dietro di sé la porta dell'appartamento.

Mentre il treno lasciava la stazione, Anna e il babbo si affacciarono al finestrino e guardarono Parigi che lentamente scivolava via.

«Ci torneremo» disse il babbo.

«Lo so» disse Anna. Allora si ricordò di quello che aveva provato quando erano ritornati alla pensione Zwirn per le vacanze e aggiunse: «Ma non sarà più lo stesso… Parigi non ci appartiene. Credi che troveremo mai un posto che ci appartenga veramente?»

«Credo di no» disse il babbo. «Non potrà mai essere come per chi ha trascorso tutta la vita nello stesso luogo. Ma sentiremo di appartenere a tanti posti diversi, e mi pare che questo sia altrettanto bello.»

Quell'anno i venti equinoziali erano arrivati presto e quando il treno arrivò a Dieppe, circa all'ora di pranzo, il mare era agitato e scuro sotto il cielo grigio. Avevano deciso di fare la traversata più lunga, da Dieppe a Newhaven, perché costava meno, anche se il babbo adesso possedeva una piccola fortuna.

«Non sappiamo quanto ci dovranno durare i soldi» aveva detto la mamma. Non appena lasciò il porto di Dieppe, il battello cominciò a beccheggiare e rullare, e l'entusiasmo di Anna per il suo primo viaggio in mare svanì rapidamente. Lei, la mamma e Max si guardarono in faccia: erano tutti pallidissimi e quando diventarono verdognoli, dovettero correre di sotto e sdraiarsi. Il babbo era l'unico a stare bene. Ci vollero sei ore per attraversare il Canale, invece delle quattro previste, per via del brutto tempo, e molto prima di sbarcare, Anna si rese conto che non le importava niente di com'era l'Inghilterra, purché ci arrivassero. Quando finalmente giunsero, era buio e non si vedeva niente. Il treno in coincidenza col traghetto era già partito e un facchino, gentile anche se parlava una lingua incomprensibile, li mise su un accelerato per Londra.

Mentre il treno, esitante, si avviava, ecco apparire sul vetro del finestrino uno spruzzo di pioggia.

«Clima inglese» osservò il babbo, piuttosto allegro, perché non aveva sofferto il mal di mare.

Anna sedeva rannicchiata in un angolo dello scompartimento, e guardava srotolarsi davanti ai suoi occhi il paesaggio grigio e anonimo. Non si riusciva a distinguere praticamente niente. Dopo un po' si stancò di guardare e gettò un'occhiata, invece, ai due uomini di fronte a lei. Erano inglesi. Sulla reticella sopra le loro teste c'erano due cappelli, a forma di melone, come non ne aveva mai visti, e loro erano seduti con le schiene dritte e leggevano il giornale. Erano saliti insieme sul treno, ma non si rivolgevano mai la parola. A quanto pareva, gli inglesi dovevano essere persone molto silenziose.

Il treno rallentò e si fermò per la milionesima volta in una stazioncina, male illuminata.

«Dove siamo?» chiese la mamma.

Anna sillabò il nome di un'insegna luminosa.

«Bovril» annunciò.

«Non può essere» notò Max. «Anche l'ultimo posto dove ci siamo fermati era Bovril.»

La mamma, ancora pallida per la traversata, guardò fuori.

«Quella è un'insegna pubblicitaria» spiegò. «Bovril è una cosa che si mangia in Inghilterra con la frutta cotta, mi pare.»

Il treno continuò a trascinarsi nel buio, mentre Anna sonnecchiava. C'era qualcosa di familiare nella situazione: la stanchezza, lo sferragliare del treno, la pioggia che batteva sul finestrino. Tutto questo era già successo, molto tempo prima. Non fece in tempo a ricordare che si addormentò.

Quando si svegliò, il treno correva più veloce e dal finestrino si vedevano balenare delle luci. Anna guardò fuori e vide strade bagnate, lampioni accesi e casette, una in fila all'altra, che sembravano tutte uguali.

«Ci stiamo avvicinando a Londra» disse la mamma.

Le strade divennero più larghe e gli edifici più alti. Il rumore delle ruote cambiò all'improvviso: stavano attraversando un ponte su un grande fiume.

«Il Tamigi!» annunciò il babbo.

C'erano luci su entrambe le sponde e Anna riuscì a vedere alcune automobili e un autobus rosso che correvano sotto di loro. Attraversarono il ponte, si lasciarono dietro il fiume e fu come se una scatola illuminata si fosse calata sul treno, perché d'improvviso furono avvolti dalle luci di una stazione, con banchine, facchini, e una folla di gente. Erano arrivati.

Anna scese dal treno e rimase ferma sulla ban-

china, al freddo, mentre aspettavano Otto, il cugino della mamma, che doveva venirli a prendere.
Tutt'intorno, gli inglesi si salutavano, sorridevano,
parlavano.

«Capisci quello che dicono?» chiese Anna.

«Neanche una parola» rispose Max.

«Pochi mesi e capiremo tutto» replicò Anna.

Il babbo era riuscito ad accaparrarsi un facchino, ma il cugino Otto non si vedeva, allora il babbo e la mamma andarono a cercarlo, mentre i
bambini rimasero a guardia del bagaglio. Faceva
freddo. Anna si sedette su una valigia, e il facchino le sorrise.

«*Français?*» domandò.

Anna scosse il capo.

«*Deutsch?*»

Lei fece di sì con la testa.

«Ah, *Deutsch*» replicò il facchino. Era un ometto tondo e grasso, con la faccia rossa. «*Ittla?*» aggiunse.

Anna e Max si scambiarono un'occhiata. Non capivano cosa volesse dire.

«*Ittla! Ittla!*» ripeté il facchino. Si mise un dito sotto il naso a mo' di baffo e alzò il braccio nel saluto nazista. «Ittla?» disse.

«Oh, Hitler!» esclamò Max.

Anna domandò cauta: «Ci sono nazisti qui?»

«Spero proprio di no» rispose Max.

Allora tutti e due fecero deciso un cenno di diniego e mostrarono a gesti la loro disapprovazione. «No!» gridarono. «No Hitler!»

Il facchino parve compiaciuto.

«*Ittla…*» cominciò. Si girò per vedere se qualcuno lo stava guardando e poi sputò con forza per terra. «*Ittla*» disse. Era ciò che ne pensava.

Anna e Max si misero a ridere, e l'uomo stava per esibirsi in un'altra imitazione di Hitler, con i capelli sulla fronte, quando la mamma arrivò da una parte, e il babbo e il cugino Otto dall'altra.

«Benvenuti in Inghilterra!» gridò Otto abbracciando la mamma. Poi, vedendola rabbrividire, aggiunse in tono di rimprovero: «In questo paese, devi sempre vestirti di lana.»

Anna l'aveva visto a Berlino e si ricordava di lui come di un uomo aitante e vivace, ma adesso aveva un'aria trasandata, con un cappotto tutto spiegazzato. Lo seguirono verso l'uscita, in una lenta processione. C'era moltissima gente dappertutto. Era così umido, che pareva che un vapore freddo venisse da terra, e le narici di Anna erano sature dell'odore di gomma emanato dagli impermeabili degli inglesi.

In fondo alla banchina c'era un piccolo intoppo, ma nessuno spingeva o si faceva largo coi gomiti, come accadeva in Francia e in Germania: ognuno aspettava il proprio turno. Nell'aria nebbiosa risaltavano un chiosco splendente di arance, mele e banane e una vetrina vicina piena di dolci e cioccolato. Gli inglesi dovevano essere molto ricchi per potersi comprare tutte quelle cose. Passarono vicino a un poliziotto inglese con un alto elmetto e a un altro che indossava una mantella bagnata.

Fuori della stazione, la pioggia scendeva come una cortina lucida, e Anna intravedeva una grande piazza in lontananza. Ebbe ancora la sensazione che tutto fosse già successo. Era stata sotto la pioggia, fuori da una stazione, e faceva molto freddo... «Aspettate, vado a cercare un taxi» disse il cugino Otto, e anche questo le suonò familiare. Improvvisamente sentì tutt'insieme la stanchezza, i postumi della brutta traversata e il freddo. Aveva un gran vuoto in testa, si sentiva avvolta dalla pioggia e non distingueva più il passato dal presente, tanto che per un attimo non capì più dove fosse.

«Tutto bene?» le chiese il babbo, afferrandola per un braccio nel vederla barcollare. Il cugino Otto commentò, preoccupato: «Dev'essere molto difficile passare la propria infanzia spostandosi da un paese all'altro.»

Allora qualcosa si schiarì nella mente di Anna.

"Infanzia difficile..." pensò. Il passato e il presente si separarono. Ricordò il lungo, faticoso viaggio da Berlino con la mamma, la pioggia, il libro di Gunther e il suo desiderio di avere un'infanzia difficile per potere un giorno diventare famosa. Allora il suo desiderio era diventato realtà? La sua vita, da quando aveva lasciato la Germania, poteva davvero essere descritta come un'infanzia difficile? Pensò all'appartamento a Parigi e alla pensione Zwirn. No, era assurdo.

C'erano state cose difficili, ma era sempre stato interessante e spesso divertente – e poi lei, Max, la mamma e il babbo erano quasi sempre stati insieme. E finché stavano insieme, la sua non sarebbe mai stata un'infanzia difficile. Sospirò appena, mentre abbandonava il suo grande sogno.

"Che peccato" pensò, "di questo passo non sarò mai famosa!" Si avvicinò di più al babbo e infilò la mano nella sua tasca, per scaldarsi.

In quella, tornò il cugino Otto col taxi.

«Svelti!» gridò. «Non ci aspetta!»

Tutti si misero a correre. Il babbo e il cugino Otto passavano le valigie all'autista, che le gettava nel taxi. D'un tratto la mamma scivolò sul bagnato, ma il cugino Otto la sorresse. «Gli inglesi usano sempre le suole di gomma!» le gridò, spingendo dentro l'ultima valigia.

Alla fine si infilarono tutti nel taxi, e il cugino Otto disse l'indirizzo dell'albergo all'autista. Anna premette il viso contro il finestrino, mentre il taxi partiva.

Ladri di infanzie

Cinquant'anni fa un soldato russo dell'Armata Rossa aprì una porta che dava direttamente sull'inferno. Si trovava, quel soldato, a Oswiecim, una città polacca il cui nome tedesco era Auschwitz. Lo sterminio degli ebrei, l'assassinio in massa di milioni e milioni di creature innocenti stava per concludersi, ma l'inizio è quello stesso con cui comincia questo libro, quando due bambine, nell'inverno del 1933, si fermano a contemplare un manifesto elettorale che raffigura un uomo molto simile a Charlie Chaplin, all'omino buffo di tante irresistibili comiche del cinema muto. L'uomo con i baffetti si chiama Adolf Hitler e vincerà quelle elezioni, dando origine alla più mostruosa dittatura della storia, e per dodici anni dominerà il suo popolo con la cupa violenza del tiranno sanguinario. Ha un inizio bello e triste, questo libro così pieno di fatti, di storie, di vicende. E fa nascere subito una domanda: c'è un rapporto tra i bambini e i dittatori? Sì, c'è naturalmente. Ci sono stati tanti dittatori nella storia recente e meno recente dell'umanità: Mussolini, Stalin, Franco, Salazar,

Pinochet... E tutti hanno letteralmente rubato l'infanzia a milioni di bambini.

Giustamente, quando la polizia nazista confisca (cioè ruba) tutti i beni della famiglia di cui si racconta la storia in questo libro, i due fratelli Anna e Max sentono che anche il loro amato giocattolo, il loro Coniglio Rosa, è stato portato via con la forza. È proprio come se il dittatore strappasse via con le sue mani le cose più segrete e più amate, i sogni, le speranze, le abitudini dolci e care, le piccole gioie di ogni giornata. L'orrore di una dittatura come quella nazista resterà per sempre nelle visioni (fotografie o film) in cui si vedono quei corpi scheletrici, con quella specie di pigiama a righe, che dondolano come se fossero quasi addormentati perché non possono reggersi in piedi a causa della fame, dei patimenti, delle malattie. Però c'è un altro orrore, forse perfino difficile, questo, da raccontare e da far capire, perché è un orrore che si scioglie quasi nell'atmosfera, va dappertutto, si coglie sottilmente, in ogni situazione. I dittatori non cambiano mai, però sono diversi i loro metodi, sono vari e nuovi gli strumenti di cui si servono. Hitler entrò rapidamente anche nei sogni dei bambini e li trasformò in incubi. Ci sono vari dittatori anche adesso, nel nostro mondo: di loro si parla poco e quasi mai si fa vedere com'era e com'è la vita vera di ogni giorno nei paesi che vivono sotto l'oppressione di un tiranno.

Anna, la bambina ebrea che fugge dalla Germania ancor prima che l'uomo orrendamente ridicolo con i baffetti prenda il potere, arriva fino a supplicare, in una tormentata preghiera, che gli incubi di suo padre, tremendi e ripetuti incubi notturni che lo fanno urlare di paura, diventino suoi: vuole portarglieli via perché soffre troppo a vederlo sveglio e sconvolto dal terrore.

I terribili tiranni con i baffetti cambiano la vita di tutti perché ci sono molte persone che li vogliono imitare, nel loro piccolo. In una dittatura ci sono capi di condominio che hanno gli stessi baffetti del loro tiranno, ci sono spie dentro le edicole e nelle biglietterie, ci sono schiavi, pronti a denunciare, nelle portinerie e nelle scuole materne. È veramente anche un ladro di Conigli Rosa, sempre, un dittatore, perché scruta nelle stanze dei giochi, apre le buste della corrispondenza, sistema gendarmi, poliziotti, aguzzini dovunque.

Così bisogna andar via, si deve scappare, subito, in fretta, prima che ti prendano. La mamma, il babbo, Max e Anna sono ebrei e tutti gli ebrei sanno che cosa vuol dire la parola esilio. Gli ebrei sono, anzi, il popolo dell'esilio, non solo perché nei secoli fuggirono più volte dalla loro patria, ma perché furono continuamente scacciati da questo o da quel paese dove avevano trovato casa, ospitalità, rifugio, imparando la lingua e diventando buoni e laboriosi cittadini nelle varie comunità di cui si trovavano a far parte. Si cambiano abitudini, ci si deve adattare.

Anna, all'inizio, non ce la fa proprio a dire le bugie; non è fatta così, detesta qualunque tipo di menzogna. Però, nelle dittature, non c'è scelta: si deve mentire, è obbligatorio per sopravvivere. Nella storia millenaria del popolo ebreo ci sono infinite bugie dette per poterli scacciare, gli ebrei, e per poterli derubare, per poterli uccidere, per poterli offendere. Anna e Max sanno che devono essere più onesti, più seri, più precisi in tutto, sempre un po' meno bambini degli altri bambini. Il furto del Coniglio Rosa è simbolico, naturalmente: Anna e Max scherzano perfino su questo modo di rubare. Però se pensiamo ai milioni di bambini ebrei rinchiusi da Hitler nei lager con i loro genitori, sappiamo che cosa vuol dire, in realtà, rubare un Coniglio Rosa, che cosa si nasconde sotto questo furto simbolico. È stata rubata l'infanzia, milioni di bambini sono stati privati del loro diritto di essere bambini: quelli che si sono salvati hanno portato con sé, per sempre, il peso di questo furto incredibile, a cui non si può rimediare. Di tutti i furti orrendi e biechi, questo è forse il più infame. Chi ruba sogni e conigli, chi sottrae liete corse e sogni festosi ha i terribili baffetti di un tiranno mostruoso.

Ci parla di cose accadute sessant'anni fa, questo libro, ma purtroppo è attuale, molto attuale.

Leggiamo del babbo di Anna che fugge, abbiamo dentro un tormento come ci accade per certi film polizieschi, sospiriamo quando arriva a Praga. Però la nostra memoria va a tante cronache televisive dalla Bosnia, dal Caucaso, dalla Somalia: fatti di oggi, tragedie di oggi. E sentiamo parlare di profughi, sempre di profughi, proprio come in queste pagine.

E di profughi sappiamo che ce ne sono anche oggi e anche nelle strade delle nostre città. Tutto intero, questo libro, è una storia di profughi, che riporta quindi l'attenzione su uno dei drammi della storia dell'umanità, perché la fila dei profughi è eterna e ininterrotta come l'intera storia dell'uomo. La vita del profugo, del resto, interessa tutti noi, soprattutto quando è raccontata in questo modo, quando è distillata giorno dopo giorno come nelle pagine di questo libro. Il profugo, se vuol sopravvivere, deve dare prova di una grande capacità di adattamento. È una virtù che non si possiede, bisogna conquistarla giocando interamente se stessi anche nelle vicende più umili e più banali. Ma per il profugo non c'è più niente di banale: deve stare attento sempre. Una storia di profughi, quando è raccontata con tanta finezza come in questo caso, è specialmente adatta ai lettori giovanissimi, ai ragazzi, ai bambini se hanno sensibilità e curiosità. Sì perché tutti i giovanissimi sono un po' profughi anche loro, nel mondo degli adulti. Arrivano e trovano usanze

*che decifrano con fatica, che esistevano già
quando loro non c'erano, che spesso appaiono
come scritte in una lingua sconosciuta.
Proprio come accade a Max e Anna nel villaggio
sul lago, vicino a Zurigo. Si può essere profughi
anche non muovendosi mai dal proprio
quartiere. La vita è fatta, per tutti, nessuno
escluso, di cambiamenti, di adattamenti, di
adeguamenti, di accomodamenti. In questo
senso Max e Anna, un ragazzo e una bambina di
sessant'anni fa, hanno tante cose da insegnare e
da spiegare a chi è giovanissimo oggi. E lo fanno
con gioia, con vivacità, divertendo. Divertendo?
Ma che cosa può esserci di divertente in un libro
che affronta temi come quelli elencati? Ebbene:
sia Anna che Max hanno una profonda,
catturante, voglia di vivere e ce la comunicano
soprattutto mentre danno prova di vivacità e di
possesso di un incessante senso dell'umorismo.
Oggi l'apprendimento delle lingue è
fondamentale e irrinunciabile, lo sappiamo tutti.
La vicenda di Anna che apprende il francese, lei
che si tiene ben stretto il suo amatissimo tedesco
(perché non è certo la lingua solo del dittatore
con i baffetti...) è così bella, così esemplare, così
autentica, da riempirci di coraggio quando ci
troviamo, come lei, in difficoltà. E proprio perché
qui ci sono disagi, ristrettezze, ansie, miserie,
umiliazioni si impara a far tesoro delle tante
belle, forse piccole cose che la vita, comunque, ci
regala. Il sole nelle strade di Parigi, le paste con*

tanta panna, il comportamento buffonesco di una nonna e di una prozia, un paio di perfette scarpe nuove, i ricordi di quell'altra vita di quando non si era poveri.

Si chiama Anna, questa bambina ottimista, vitale, coraggiosa, spesso anche vittoriosa in dure, piccole, ripetute battaglie. Il ricordo non può non andare a un'altra Anna, che scriveva un diario, che, reclusa, amava l'aria, i profumi, i pettegolezzi, le letture, i sogni e l'amore. L'Anna profuga, ebrea come l'Anna del diario, ci invita a meditare e a non dimenticare. Quei tipi con i baffetti che riempiono i muri con le immagini dei loro squallidi visi sono sempre lì, sempre pronti. Non devono poter rubare conigli a nessuno, qualunque sia il colore della bestiola. Perché loro sono ladri di giochi, ladri di sogni, ladri di speranze, ladri di infanzie.

ANTONIO FAETI, 1995